JUSTIN BIEBER A-Z

STRATFORD
POPULATION   32 000

SARAH OLIVER

JUSTIN BIEBER A-Z
ALLES ÜBER DEINEN SUPERSTAR

ÜBERSETZT VON
THORSTEN WORTMANN

TEEN POP

INHALT

INLEITUNG

2009 veröffentlichte er im Alter von nur 15 Jahren seine erste Single, mittlerweile kennt ihn jeder: Superstar Justin Bieber sorgt derzeit für großen Wirbel in der Musikszene und ist nicht zu stoppen! Wo auch immer der süße Sänger auftaucht, sind Horden von kreischenden Fans und Blitzlichtgewitter garantiert. Mit seinem Gesangstalent und seinen außergewöhnlichen Performances hat der junge Überflieger mittlerweile Millionen von treu ergebenen Fans eingesammelt und täglich werden es mehr. Außerdem hat er sich großen Respekt in der Musikwelt verschafft und ist mit Stars wie Usher, Rihanna und P Diddy befreundet.

Seitdem seine Mutter Pattie Videoclips von Justin auf YouTube gepostet hatte, was zu seiner Entdeckung durch den Musikmanager Scooter Braun führte, hat der sympathische Kanadier eine steile Karriere hingelegt. Braun verschaffte dem jungen Talent einen Plattenvertrag bei der renommierten Def Jam Music Group und schon bald belegten Justins Alben *My World* und *My World 2.0* weltweit die vordersten Chartplätze – bisher haben sie sich über sieben Millionen Mal verkauft. Seine Hitsingles, wie zum Beispiel *Baby, Never Say*

Never oder *One Time,* werden im Radio rauf und runter gespielt. Im März 2011 lief sein erster Film, *Justin Bieber 3D: Never Say Never,* weltweit erfolgreich in den Kinos an, und die *My World Tour,* die erste Welttournee des Mädchenschwarms, war in Windeseile ausverkauft.

Seine Fans können nicht genug von ihm bekommen und wollen natürlich alles über ihren Superstar wissen. *Justin Bieber A–Z* ist ein üppiges Nachschlagewerk für alle »Beliebers« und diejenigen, die es noch werden wollen. Das Buch steckt voller Informationen über den zurzeit wohl angesagtesten Teenie-Star der Musikbranche. In alphabetischer Reihenfolge wird alles Wissenswerte über den jungen Chartstürmer aufgelistet: seine Veröffentlichungen, wichtige Karrierestationen, außergewöhnliche Auftritte sowie exklusive Einblicke in Justins Privatleben. Die Fans erfahren alles über seine Hobbys und Vorlieben, über seine Arbeitsweise als Musiker sowie über alle wichtigen Menschen in seinem Umfeld: seine Familie, seine Freunde und seine Crew.

Hier ist Justin Bieber – von A–Z!

STEHT FÜR

AUSRUTSCHER

Obwohl Justin noch sehr jung ist, hat er schon zahlreiche Unfälle auf und jenseits der Bühne hinter sich.

Mit sieben Jahren wurde er beim Versteckspielen von seinem Cousin in einer Spielzeugkiste eingesperrt. Zuerst fand der kleine Justin das Ganze noch lustig, aber als er feststellte, dass er aus der Kiste nicht mehr herauskam, geriet er in Panik. Seitdem leidet er unter Platzangst und hasst Enge.

Ein paar Jahre später, im Alter von elf Jahren, folgte die nächste traumatische Erfahrung. Er blieb mit einem Fahrstuhl stecken und saß vier Stunden lang in der Kabine fest, weil die Mechaniker, die den Fahrstuhl wieder zum Laufen bringen sollten, schon für den Fahrtweg zwei Stunden brauchten. Dies muss ein absolut schreckliches Erlebnis für Justin gewesen sein.

Heute spricht er offen über seine Platzangst und darüber, dass er ein Problem damit hat, sich mit vielen Leuten einen Aufzug zu teilen – weil er Angst hat, noch mal in solch eine Situation zu kommen. Gegenüber *Macleans.ca* sagte Justin: »Ja, ich leide total unter Platzangst. Ich hasse Fahrstühle, vor allem wenn sie proppenvoll sind. Das macht mir wirklich Angst. Deshalb ist es für mich auch relativ problematisch, wenn mich viele Mädchen bedrängen und ich da nicht rauskomme. Aber ich weiß, dass ich mich daran wohl irgendwie gewöhnen muss.«

Während seiner Auftritte hat es auch schon einige unschöne Vorfälle gegeben. Als er beim Q102 Jingle Ball im Dezember 2010 seinen Song *Love Me* performte, fiel er von der Bühne. Zwar kletterte er gleich wieder hinauf und setzte seine Vorstellung fort – aber es sah so aus, als hätte er sich am Bein verletzt. Weil er so professionell reagiert hatte, waren sich die Fans im Publikum unsicher, ob er diesen Stunt nicht absichtlich eingebaut hatte. Aber dies zeigt nur, was für ein Profi Justin ist. Seine Performance lässt er sich von nichts und niemandem ruinieren.

Nur einen Monat zuvor hatte der junge Star sich bei einem Auftritt in Cleveland das Knie verletzt. Daraufhin schrieb er auf Twitter: »Hab mir gestern Abend während des Auftritts das Knie kaputt gemacht. Ist kein Spaß. Habe den Rest der Show ganz schön rumgehumpelt ... Habe heute ein geschwollenes Knie, aber alles gut, verbringe ein paar schöne Stunden mit Studiomama.«

»Studiomama« ist der Twitter-Name von Justins Mutter Pattie.

Justins bisher schwerster Unfall passierte während einer Show in der Londoner Wembley Arena, als er bei Taylor Swifts *Fearless*-Tour als Special Guest auftrat. In einem Interview mit Nicholas Kohler von *Macleans.ca* beschrieb Justin den Vorfall: »Gleich am Anfang eines Songs brach ich mir den Fuß – ich rannte los und achtete nicht auf eine kleine Unebenheit im Bühnenboden. Ich knickte um und brach mir das Fußgelenk. Den Song zu Ende zu bringen war ein echt harter Kampf. Aber ich wollte meine Fans, die unbedingt meine Show sehen wollten, natürlich nicht enttäuschen. Deshalb musste ich die Zähne zu-

Justin und seine Tänzer live auf der Bühne: Der junge Star lässt sich von nichts und niemandem aufhalten, nicht mal von einer Fußstütze.

sammenbeißen.« Nachdem Justin die Bühne verlassen hatte, wurde er schnellstens in ein Krankenhaus gebracht und konnte deshalb keine Zugaben geben. Die Ärzte stellten fest, dass der Fuß gebrochen war. Aber anstatt das Bein einzugipsen, verpasste man Justin eine spezielle Fußschiene, damit er seine Tourverpflichtungen einhalten konnte. Sicher wäre er nicht damit klargekommen, wochenlang nicht auf der Bühne stehen zu dürfen. Durch die Schiene war Justins Fuß von allen Seiten mit Luftpolstern gestützt, sodass er ihn nicht bewegen konnte. Außerdem war die Stütze mit robustem Plastik umgeben, um den Fuß vor eventuellen Stößen zu schützen. Justin sah damit so süß aus!

Nur wenige Stunden nachdem Justin seine Fußstütze bekommen hatte, stand er wieder als Gaststar bei Taylor Swift auf der Bühne, dieses Mal im englischen Manchester. Noch in derselben Woche veröffentlichte er zusammen mit Taylor ein Funvideo, in dem die beiden über den Unfall sprachen.

Justin sagt: »Du hast mir Hals- und Beinbruch gewünscht ... Das mit dem Bein hat nicht geklappt, aber immerhin habe ich mir den Fuß für dich gebrochen.«

Taylor lächelt und erklärt Justin: »Eigentlich war das ja symbolisch gemeint. Ich wollte doch nur sagen: ›Viel Glück! Schön, dass du dabei bist. Hals- und Beinbruch!‹ ... «

Justin unterbricht sie frech: »Ich wollte doch einfach nur das machen, was du mir gesagt hast. Tut mir echt leid.«

Taylor antwortet: »Ich wünschte, ich hätte mich klarer ausgedrückt.«

Justin lacht und sagt: »Tja, dann muss ich heute Abend wohl im Sitzen performen.«

Nach dem Schlagabtausch dreht Taylor sich zur Kamera und spricht Justins Fans direkt an: »Spaß beiseite! Er hat sich wirklich auf der Bühne vor 11.000 Zuschauern den Fuß gebrochen und den Song danach trotzdem zu Ende gesungen.«

Auch heute noch betrachtet Justin den Vorfall als einen der peinlichsten Momente seines Lebens. Um dies zu toppen, muss schon etwas Gewaltiges passieren.

In seiner Karriere hat es auch schon Unfälle gegeben, die den Star nicht direkt betroffen haben, aber die ihn und das, was er tut, besonders geprägt haben. Am Samstag, den 4. Dezember 2010, sollte er in der deutschen Fernsehshow *Wetten, dass ..?* auftreten. Vor Justins geplantem Auftritt musste die Veranstaltung abgebrochen werden, weil sich einer der Wettkandidaten schwer verletzt hatte: Der 22-jährige Samuel Koch wollte auf Sprungfedern nacheinander fünf fahrende Autos mit einem Salto überspringen, blieb aber am zweiten hängen und stürzte schwer. Der geschockte Justin rief seine Fans über Twitter auf, für den verletzten Kandidaten zu beten. »Ich will meine Fans in Deutschland nur wissen lassen, dass ich heute Abend nicht bei *Wetten, dass ..?* auftreten werde, da es einen Unfall gegeben hat und ... wir alle der Meinung sind, dass es nicht richtig wäre, die Show fortzusetzen«, lautete sein Tweet. »Bitte betet für Samuel Koch & seine Familie, während wir alle hoffen, dass es ihm gut geht und er wieder gesund wird. ... Deutschland, es tut mir leid, dass wir heute nicht auftreten konnten, aber manche Dinge sind einfach wichtiger als eine Show. Wir kommen wieder, versprochen. Danke.«

Justins Fans folgten seinem Aufruf und schon bald gab es zahlreiche Genesungswünsche auf dem Twitteraccount #prayforsamuel.

Es kam auch schon vor, dass Justins Fans verletzt wurden, während sie auf ihren Star warteten. Acht Jugendliche mussten ins Krankenhaus gebracht werden, als es im Vorfeld eines Auftritts von Justin im australischen Sydney zu einem heftigen Gedränge gekommen war. Die Fans waren zusammengeströmt, weil der junge Sänger am Circular

Quay ein kostenloses Konzert geben sollte. Aber leider versammelte sich so viel Publikum, dass die Situation außer Kontrolle geriet. Letztendlich konnte die australische Polizei die Show nicht genehmigen, weil so viele Kids nicht in Begleitung ihrer Eltern gekommen waren.

Kurze Zeit später wurde folgendes Statement vom Veranstalter veröffentlicht: »Der einzige öffentliche Auftritt des weltweiten Pop-Phänomens Justin Bieber in Australien zog eine so große Menschenmenge an, dass die Polizei die geplante Show am Overseas Passenger Terminal in Sydney aus Sicherheitsgründen nicht stattfinden lassen konnte. Am Montag, den 26. April, riegelte die Polizei das Hafengebiet ab 16 Uhr 30 ab und gab bekannt, dass aus Sicherheitsgründen keine Fans mehr auf das Gelände gelassen würden. Gegen 17 Uhr 20, als das Konzertgelände bereits voll war und trotzdem immer mehr Fans kamen, wies die Polizei

DAS TRACKLISTING VON »MY WORLD«:

1. One Time
2. Favourite Girl
3. Down to Earth
4. Bigger
5. One Less Lonely Girl
6. First Dance (featuring Usher)
7. Love Me

BONUS TRACKS

8. Common Denominator
9. One Less Lonely Girl
   (nur in Kanada)

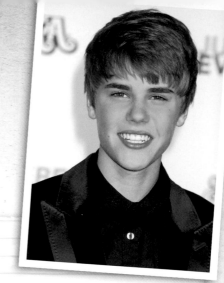

DAS TRACKLISTING VON »MY WORLD 2.0«

1. Baby
2. Somebody to Love
3. Stuck in the Moment
4. U Smile
5. Runaway Love
6. Never Let You Go
7. Overboard (featuring Jessica Jarrell)
8. Eenie Meenie (with Sean Kingston)
9. Up
10. That Should Be Me

BONUS TRACKS

11. Kiss and Tell (nur in Japan und
    exklusiv über iTunes)
12. Where Are You Now (nur in Japan,
    Australien und auf der Walmart-
    Edition)

den Veranstalter Sunrise an, den Auftritt abzusagen.«

Justin wollte sich bei seinen Fans entschuldigen und schrieb umgehend auf Twitter: »Wegen dem, was heute passiert ist, möchte ich euch wissen lassen, dass ihr mir alle wichtig und dass ihr die Besten seid. Wenn ich jedem von euch persönlich danken könnte, würde ich es tun. ... Ich liebe meine Fans ... und so wie jeder von euch bin auch ich über die News von heute Morgen enttäuscht. Ich will für meine Fans singen.«

ALBEN

Justins großer Traum war immer schon, eines Tages ein eigenes Album zu veröffentlichen. Und als dieser Traum tatsächlich in Erfüllung ging, war er total aufgeregt.

TRACKLISTING VON »MY WORLDS ACOUSTIC«

1. One Time
2. Baby
3. One Less Lonely Girl
4. Down to Earth
5. U Smile
6. Stuck in the Moment
7. Favourite Girl (live)
8. That Should Be Me
9. Never Say Never
    (featuring Jaden Smith)
10. Pray

DIE »BILLBOARD« TOP TEN:

1. »Recovery« von Eminem (3.415.000 verkaufte Einheiten)
2. »Need You Now« von Lady Antebellum (3.089.000)
3. »Speak Now« von Taylor Swift (2.960.000)
4. »My World 2.0« von Justin Bieber (2.319.000)
5. »The Gift« von Susan Boyle (1.852.000)
6. »The Fame« von Lady Gaga (1.591.000)
7. »Soldier of Love« von Sade (1.300.000)
8. »Thank Me Later« von Drake (1.269.000)
9. »Raymond V Raymond« von Usher (1.183.000)
10. »Animal« von Ke$ha (1.143.000)

Er fand es so toll, sein Album in den Läden neben Stars wie Beyoncé oder den Black Eyed Peas zu sehen. Seine erste Platte hieß *My World* und wurde am 17. November 2009 in Nordamerika, am 20. November 2009 in Australien und am 18. Januar 2010 in Großbritannien veröffentlicht. Sie enthält sieben Songs plus zwei Bonus-Tracks, wobei der zweite nur auf der kanadischen Veröffentlichung zu finden ist.

Ein Debütalbum wird meistens nach dem Künstler benannt, aber Justin durfte sich für sein erstes Werk einen Titel aussuchen. Die Idee für *My World* kam von einem Song gleichen Namens (der es allerdings nicht aufs Album geschafft hatte). Justin fand *My World* für das Album sehr passend, da es in allen Songs über Dinge aus seinem Leben geht: Liebe, Mädchen, die Trennung der Eltern, Familie, Schule. Justins Manager

Scooter Braun, sein Mentor Usher und auch die Leute von seiner Plattenfirma fanden den Albumtitel absolut geeignet.

Der zweite Teil des Albums hieß *My World 2.0*. Die Fans mussten darauf bis zum 19. März 2010 warten – ursprünglich hätte das Album schon Mitte Februar in den Läden sein sollen. Es zeigt Justin von einer ganz neuen Seite. Gegenüber *chron.com* erklärte er: »Ich wollte was machen, was mehr R&B war und jeden anspricht. Ich wollte einfach zeigen, was ich als Sänger draufhabe. *Up* gehört zu meinen Favoriten auf dem Album. An diesem Song gefällt mir einfach alles.«

Justin fand es gut, dass sein Album in zwei Teilen herauskam. Denn dies bedeutete, dass seine Fans nicht über ein Jahr oder länger auf eine neue Platte warten mussten, wie es normalerweise bei anderen Künstlern der Fall ist.

Im November 2010 erschien ein drittes Album namens *My Worlds Acoustic*. In einem Interview mit MTV erklärte er, warum er sich für diese Veröffentlichung entschieden hatte: »Ich habe dieses Acoustic-Album gemacht, weil es viele Leute gibt, die mich hassen und sagen: ›Justin Bieber kann nicht singen, seine Stimme wurde mit Auto-Tune bearbeitet.‹ Das Ganze ist jetzt abgespeckt und ruhiger geworden und man kann nun meine Stimme besser hören.«

Die amerikanischen Fans können das Album nur in Läden der Supermarktkette Walmart kaufen und für alle anderen Fans weltweit wurde die Compilation *My Worlds: The Collection* herausgebracht, die das Acoustic-Album sowie eine Auswahl von Tracks der ersten beiden Alben enthält. Auf dieser internationalen Doppel-CD sind insgesamt 31 Songs zu finden.

Ein Acoustic-Album zu veröffentlichen war ein cleverer Schachzug von Justin, denn jetzt konnte niemand mehr behaupten, dass der Junge nicht singen könne. Seine Fans lieben den Acoustic-Sound und stehen besonders auf die neue Version von *Baby* sowie den brandneuen Track *Pray*.

Mit dem offiziellen Videoclip zu *Pray* überbrachte Justin seinen Fans eine besondere Nachricht: »Als ich den Song geschrieben habe, hatte ich *Man in the Mirror* von Michael Jackson im Kopf. Von den Einnahmen des Albums werden wir einen Teil an die Children's Miracle Network Hospitals spenden. *Pray* bedeutet mir sehr viel und ich liebe dieses Video. Ich hoffe, euch geht es genauso, und bitte tut was Gutes, indem ihr euch *My Worlds Acoustic* kauft. Vielen, vielen Dank. Ich liebe Musik und ich liebe es, wie ihr meinen Traum unterstützt. Wir werden niemals aufhören. Dies ist erst der Anfang. Verwirklicht eure Träume und versucht immer, auf positive Weise etwas für andere Menschen zu tun.«

Justin sagt, dass er seinen Fans und Gott etwas zurückgeben möchte. Er will helfen und in Children's Miracle Network hat er genau die Organisation gefunden, die er unterstützen will. Im September 2009, bei einem Auftritt in New York, traf Justin zum ersten Mal Mitarbeiter dieser Organisation.

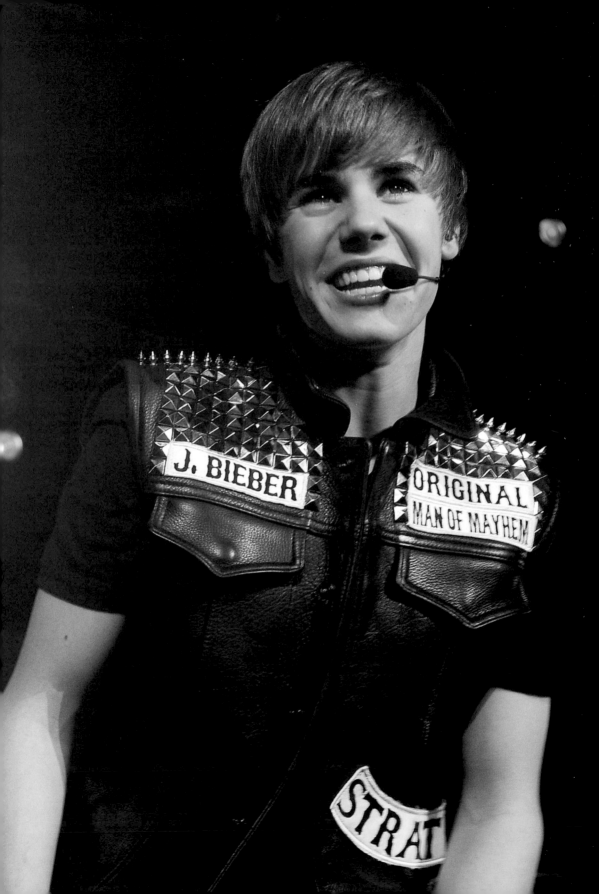

Jahres 2010 für die USA veröffentlichte, freuten sich Justins Fans, ihren Star darauf zu finden. Sie waren der Meinung, dass er es verdient hatte, in den Top Ten zu sein, da seine Alben einfach großartig waren!

In einem Interview mit *Macleans.ca* wurde Justin gefragt, welchen Grund er dafür sehe, dass seine CD so erfolgreich ist. Er antwortete: »Ich durfte mit tollen Produzenten und großartigen Songwritern zusammenarbeiten. Ich arbeitete mit (Christopher) ›Tricky‹ (Stewart) und The-Dream, die *Obsessed* für Mariah Carey geschrieben hatten. Die Aufnahme des Albums hat echt Spaß gemacht und ich glaube, dieser Spaß spiegelt sich auf der Platte wider. Ich denke, die Leute haben das gemerkt.«

AUSZEICHNUNGEN

Ein talentierter Musiker wie Justin bekommt natürlich auch schon mal die eine oder andere Auszeichnung verliehen. Innerhalb der letzten beiden Jahre hat der junge Star sich außergewöhnlich gut entwickelt und es dürfte nicht mehr lange dauern, bis er genügend Trophäen gesammelt hat, um ein ganzes Zimmer damit zu füllen!

2010 gewann er vier American Music Awards (in den Kategorien »Artist of the Year«, »Favourite Pop/Rock Male Artist«, »Breakthrough Artist«, »Favourite Pop/Rock Album«). Außerdem nahm er in Brasilien zwei Awards entgegen: einen Meus Prêmios Nick Award in der Kategorie »Favourite International Artist« sowie einen MTV Brazil Music Award als bester internationaler Künstler. Er wurde für vier weitere MTV Awards nominiert und konnte drei davon einheimsen – »Best Male« und »Best Push Act« bei den MTV Europe Awards sowie »Best New Artist« bei den MTV Video Awards. Die Auszeichnung »Best New Act« bei den Europe Awards musste er seiner Kollegin Ke$ha überlassen.

Er erkannte schnell, dass sie die Spenden sinnvoll einsetzen würden.

Scott Burt, der Präsident des Children's Miracle Network, sagte gegenüber der *International Business Times*: »Justins großzügige Spenden vom Verkauf seines neuen Albums werden eine bedeutsame Hilfe sein, Kindern in unseren Krankenhäusern das Leben zu retten. Als Organisation, die am meisten Geld an Kinderkrankenhäuser im ganzen Land spendet, sind wir überaus dankbar für seine Unterstützung. Mit diesem Geld werden wir für die Kinder noch mehr Wunder vollbringen können.«

Als die amerikanische Musikzeitschrift *Billboard* die Liste der Bestseller-Alben des

Bei den Much Music Awards gewann Justin ebenfalls dreimal: »Favourite Canadian Video«, »New Artist Award« und »Best International Video By A Canadian« für *Baby*. Zudem wurde er in der Kategorie »Best International Video By A Canadian« für *One Time* nominiert.

Er nahm auch einen Myx Music Award für das beste Musikvideo International entgegen, vier Teen Choice Awards sowie jeweils einen TRL Award und einen Young Hollywood Award.

2010 war Justin insgesamt 28-mal nominiert gewesen und konnte 19 Trophäen mit nach Hause nehmen. Und es sieht ganz danach aus, als würde 2011 für ihn ein noch erfolgreicheres Jahr werden: Als er für zwei Grammys nominiert wurde, konnte er es kaum glauben – es war schon eine außergewöhnliche Leistung, überhaupt so früh in der Karriere für solch einen renommierten Preis ausgewählt zu werden!

Justin wurde in den Kategorien »Best New Artist« und »Best Pop Vocal Album« (für *My World 2.0*) nominiert. Bei den Grammys 2010 war er schon so aufgeregt gewesen, Gast bei der Preisverleihung sein zu dürfen, dass es für ihn wohl der absolute Hammer war, selbst nominiert zu sein. Im Januar 2010 hatte er auf Twitter mitgeteilt: »Bin echt sprachlos. Das ist verrückt. Letztes Jahr hab ich mir die Grammys im Fernsehen angeschaut, jetzt darf ich selbst dabei sein. Darf einige meiner Helden treffen. Verrückt.«

Selena Gomez drückte Justin für die Grammys die Daumen. Als sie von MTV gefragt wurde, wen sie gern als Gewinner sehen würde, antwortete sie: »Ich würde sagen, Justin Bieber – weil ich weiß, wie hart er arbeitet. Ich hoffe, er gewinnt, aber ich mag Drake auch sehr gern. Das ist eine echt schwierige Kategorie, deshalb weiß ich nicht, wer gewinnen wird, aber natürlich bin ich für Bieber.«

In jener Kategorie trat Justin gegen Drake, Florence & the Machine, Mumford & Sons

und Esperanza Spalding an. Bei seiner zweiten Nominierung musste er sich mit seinem *My World*-Album mit *I Dreamed a Dream* von Susan Boyle, *The Fame Monster* von Lady Gaga, *Battle Studies* von John Mayer und *Teenage Dream* von Katy Perry messen.

Zuerst nahm Justin an, dass er nur für einen Grammy nominiert sei, aber dann rief ihn sein Manager Scooter Braun an und informierte ihn über die zweite Nominierung. Über Twitter teilte Justin seinen Fans seine Freude mit: »Hab mich riesig gefreut, als ich mich schlafen gelegt hab und dachte, ich wäre für einen Grammy nominiert ... dann rief mich Scooter Braun an ... zwei Nominierungen!!«

»Gewinnen oder verlieren … das ist VER-RÜCKT!! Die Grammys!!! HEILIGER BIMBAM!!! Jippie! … okay, okay … muss jetzt schlafen. Ich kann's nicht glauben!! HEILIGER BIMBAM!!«

Neben all den zahlreichen Awards hat Justin auch von seiner Plattenfirma Auszeichnungen erhalten – Gold- und Platinplatten für millionenfach verkaufte Singles und Alben. In Amerika hat sein erstes Album *My World* drei Monate nach Erscheinen Platinstatus erreicht, was bedeutet, dass Justin davon mehr als eine Million Einheiten verkauft hat. Im Dezember 2010 wurde daraus Doppelplatin – damit hat Justin die Zwei-Millionen-Marke geknackt. Auch der zweite Teil des Albums bekam Doppelplatin und Justin war seinen Fans, die seine Platten gekauft hatten, sehr dankbar.

Aber nicht nur Justin freut sich über die Awards – seine Eltern, Manager Scooter Braun, Usher und alle anderen aus seinem Umfeld wollen ebenfalls, dass der junge Star erfolgreich ist. Und wenn er eine Auszeichnung überreicht bekommt, freuen sich alle mit ihm. So bekam Justin, als er vier American Music Awards gewonnen hatte, von seiner Familie und Freunden eine Torte geschenkt. Während eines Konzerts in Toronto stiegen Freunde und Familienmitglieder auf die Bühne, klatschten und jubelten ihm zu. Justin sah überrascht aus, freute sich aber sehr. Schließlich bekommt man nicht jeden Tag eine Torte mit Kerzen geschenkt – vor allem, wenn man nicht mal Geburtstag hat.

Als Justin seine vier American Music Awards erhielt, war das besonders für seinen Mentor Usher sehr bewegend, weil Justin ihn in der Kategorie »Pop/Rock Favourite Male Artist« geschlagen hatte und sogar noch den bedeutendsten Preis des Abends, den des »Favorite Artist of the Year«, gewann. Für diese Kategorie war Usher nicht mal nominiert worden, sodass Justin ihn schon dadurch geschlagen hatte, dass er zu den Auserwählten gehört hatte. Usher konnte seine Freudentränen nicht unterdrücken, als er hinter der Bühne interviewt wurde. »Zu sehen, wie Justin diesen Award bekommt – wenn man ihn selbst auch schon mal gewonnen hat –, war ein außergewöhnliches Erlebnis. Mir kam es vor, als hätte ich meinen eigenen Körper verlassen. … Das war echt bewegend. Ich weine nicht oft, aber heute konnte ich nicht anders. Jetzt sehen die Leute, wie hart er an seiner Karriere gearbeitet hat, die in den nächsten Jahren hoffentlich weiterhin blühen wird.«

In seiner Dankesrede sagte Justin: »Wow … das ist … mir fehlen die Worte … meine Fans sind unglaublich. Ich möchte meiner Plattenfirma danken. Und L.A. Reid, Steve Bartels, Chris Hicks. Ich möchte allen danken: meiner Mom, die so viel für mich aufgegeben hat, meiner Familie, meinem Dad … Ich habe diese Gelegenheit vor etwa anderthalb Jahren bekommen und ein Mann namens Raymond Usher hat mir sehr unter die Arme gegriffen … Ich finde, er hat eine so fantastische Karriere hingelegt, und es ist nur gerecht, wenn ich ihn jetzt hier zu mir auf die Bühne bitte, um diesen Award mit mir zu teilen. Er ist nicht nur mein Mentor, sondern mein bester Freund, mein großer Bruder. Ich hab dich lieb, Mann!«

Als Usher zu ihm kam, umarmte er Justin fest, dann verließen sie Arm in Arm die Bühne. Die beiden werden definitiv für immer Freunde sein!

Justin wurde aber nicht nur für seine Musik ausgezeichnet. Im Oktober 2010 nahm er bei den australischen Nickelodeon Kids' Choice Awards den »Hottest Hottie Award« entgegen – für den heißesten Künstler des Jahres! Dabei hatte er sich gegen Taylor Lautner, Taylor Swift und Rachael Finch durchgesetzt. Auch für sein süßes Aussehen wird Justin im Laufe der Zeit sicherlich noch viele weitere Awards bekommen!

B
STEHT FÜR

BESTE FREUNDE

Justins beste Freunde heißen Ryan Butler und Chaz Somers. Seitdem die drei zusammen Eishockey spielen – also seit dem siebten oder achten Lebensjahr –, sind sie unzertrennlich. Justin, Ryan und Chaz sind auch gemeinsam zur Stratford Central Secondary School gegangen und wurden dort für ihre Streiche bekannt, aber als böse Buben kann man sie definitiv nicht bezeichnen. Sie wollten einfach ein wenig Spaß haben. Ryan und Chaz waren traurig, als Justin die Schule verließ und nach Atlanta zog, gleichzeitig freuten sie sich aber auch für ihn.

Gegenüber MTV sagte Justin: »Mit etwa 13 Jahren habe ich die Schule verlassen und meine besten Freunde [Chaz und Ryan] sind immer noch dort. Klar, sie fehlen mir, aber das, was ich gerade erlebe, ist es definitiv wert. Ich sorge dafür, dass sie nach Atlanta geflogen kommen, damit wir uns regelmäßig sehen können.«

In der Schule war Justin besonders gut im Sport und einige Kids in seiner Klasse versuchten später, ihn runterzumachen, indem sie sagten, dass er nur ein Angeber sei – was natürlich nicht stimmte. Er war ganz einfach ein Naturtalent. Ryan und Chaz als Freunde zu haben musste für Justin wirklich hilfreich gewesen sein, weil sie ihn immer aufmunterten. Die meisten Leute haben nur einen besten Freund, aber Justin war gleich mit zweien gesegnet.

Obwohl der junge Sänger aus Stratford weggezogen ist, hat er den Kontakt zu Chaz und Ryan stets aufrechterhalten. Sie telefonieren sehr oft miteinander und sie besuchen sich, wann immer es geht. Wenn ein großes Event ansteht oder etwas anderes, das die beiden interessieren könnte, sagt Justin seinen Kumpels Bescheid und bucht für sie die Flüge.

Er hat seine Freunde sogar schon mit einigen Promis bekannt gemacht. Als sie in Detroit waren, ließen Justin und Ryan sich zusammen mit Eminem fotografieren. Später schrieb Justin auf Twitter: »Detroit war echt krass … Musste dem Typen von *8 Mile* einfach Respekt zollen. EMINEM ist eine Bestie!« Als Justin an jenem Abend in Detroit auf der Bühne stand, sang er Eminems Hit *Lose Yourself*.

In einem Interview erzählte Justin: »Ja, meine beiden besten Freunde begleiten mich manchmal. Einen von ihnen, Ryan, kennt ihr vielleicht schon aus meinem Video [*One Time*]. Die beiden sind stolz auf mich und es ist schön, diese ganzen coolen Dinge mit ihnen zu teilen.«

Nicht nur im Video von *One Time* war Ryan zu sehen, sondern auch in dem Clip zu *Somebody to Love*. Hier steht Ryan neben Justin und trägt ein T-Shirt, auf dem er Werbung für seinen eigenen Twitter-Account macht. Man muss schon genau hinsehen, um es zu erkennen. Wer die Stelle nicht entdeckt hat, sollte sie sich mal auf YouTube anschauen: Nach zwei Minuten und 50 Sekunden taucht Ryans T-Shirt-Message auf. Seit diesem Clip ist die Zahl seiner Twitter-Follower auf über 230.000 angestiegen! Wer auf *twitter.com/*

itsryanbutler geht, kann mehr über ihn und seine Erlebnisse mit Justin erfahren.

Ryans Highlight im Jahr 2010 war, Justin auf Tournee zu begleiten. Er selbst will später mal ein berühmter Hollywoodregisseur oder Filmcutter werden. Auch Chaz hat einen Twitter-Account, aber er hat nur 24.000 Follower – was für einen ganz gewöhnlichen Typen aus Kanada immer noch eine Menge ist! Er spielt mit dem Gedanken, seinen Account zu löschen, deshalb sollte jeder Fan schnellstens ein Follower werden, solange es noch geht (*twitter.com/chazilla94*).

Im CD-Booklet von *My World* dankte Justin seinen beiden Freunden dafür, dass sie ihm helfen, »weiterhin Justin zu bleiben«. Der Journalist Nicholas Kohler von *Macleans.ca* fragte Justin, wie seine Freunde ihm dabei helfen, nicht abzuheben, woraufhin Justin antwortete: »Sie freuen sich sehr für meinen Erfolg, aber eigentlich interessieren sie sich überhaupt nicht für den ganzen Trubel. Sie mögen mich als Justin, nicht als Star. Wenn wir zusammen abhängen und ich irgendwas Blödes sage oder tue, behandeln sie mich nicht wie einen Superstar, absolut nicht. Sie hauen mir auch schon mal eine runter, das ist ihnen egal. Ich sehe sie mindestens einmal im Monat. Egal, wo ich gerade bin, ich lasse sie zu mir fliegen. Ich habe sie schon nach L.A. und Atlanta geholt. Für mich ist es sehr wichtig, dass man seine besten Freunde immer in der Nähe hat. Wir unternehmen sehr viel, wir spielen Basketball, Hockey und Fußball und so. Manchmal gehen wir auch mit ein paar Mädels ins Kino – was Teenie-Jungs in unserem Alter eben so machen.«

Ryans Eltern mussten sich erst daran gewöhnen, dass ihr Sohn plötzlich bekannt war, nur weil er Justin Biebers bester Freund ist. Mädchen aus aller Welt haben es geschafft, die private Telefonnummer der Butlers herauszufinden, und rufen Ryan ständig an, weil sie mit ihm quatschen wollen. Über

Weihnachten musste Ryans Mom sogar das Telefon einige Tage lang abschalten, damit die Familie eine ruhige und besinnliche Zeit verbringen konnte. Freunde der Butlers und sogar Lehrer von Justins ehemaliger Schule haben sich schon erkundigt, ob Ryan ihnen Tickets für eines von Justins Konzerten besorgen kann. Viele halten ihn für seinen treuesten Gefährten und versuchen, über ihn mit dem Star Kontakt aufzunehmen. Ryan und Chaz sowie zahlreiche andere Bewohner von Stratford werden häufig von Touristen, die sich zu Besuch in der Stadt aufhalten, gefragt, wo Justin früher gewohnt hat oder wo seine Großeltern leben. Zum Glück hüllen sich die meisten in Schweigen, weil sie der Meinung sind, dass Justin und seine Familie ein wenig Privatsphäre verdienen. Die Bewohner Stratfords würden es gar nicht toll finden, wenn die ganze Familie Bieber die Gegend verließe – weil Justin dann nicht mehr so häufig zu Besuch käme.

Ein weiterer treuer Weggefährte Justins ist Dan Kanter, sein Gitarrist und musikalischer Leiter. Dan ist Songwriter und außerdem auch Produzent. Er stammt aus Toronto, Kanada. Auch er hat einen Twitter-Account, die Adresse lautet *twitter.com/DANKANTER*. Justin liebt es, mit Dan Musik zu machen. Er hat es sich auch nicht nehmen lassen, auf dessen Hochzeit im Oktober 2010 ein paar Songs zu singen. Dan, Justin und die anderen Musiker aus seiner Band spielten *Get Down Tonight* von KC and the Sunshine Band sowie den traditionellen jüdischen Song *Hava Nagila*. Allerdings konnten Dan und seine Braut ihre Flitterwochen nicht lange genießen, weil der Gitarrist kurz nach der Hochzeit einen Auftritt mit Justin auf Hawaii hatte.

Justin bezeichnet seine besten Freunde gern als sein Wolfsrudel. Neben Dan gibt es da noch die Tänzer Antonio und Marvin sowie einige andere wie den Rapper Asher Roth. Justin weiß, dass man mit all den Leuten sehr viel Spaß haben kann und dass sie für ihn da sind, egal, was passiert. Asher

Roth hatte er kennengelernt, kurz nachdem er nach Atlanta gezogen war. Asher betrachtet Justin als seinen kleinen Bruder und erzählt gern davon, wie Justin bei ihm zu Hause *Rock Band* gespielt hat. Sie waren zusammengekommen, weil Scooter Braun auch Ashers Manager ist. Scooter hatte die beiden miteinander bekannt gemacht.

BIEBER-BEGRIFFE

Wer schon eine Weile zu Justins Fans gehört, dürfte schon mal von bestimmten Bieber-Begriffen gehört haben.
Beliebers: Fans, die Justin hundertprozentig lieben und ihm immer treu bleiben werden – egal, was passiert.
Biebette: So nennt man ein Single-Mädchen, das von Justin besessen ist. Wenn es sich um eine ganze Gruppe Mädchen handelt, nennt man sie Biebettes.

Bieber-Fieber: Eine Krankheit, die unter Justins Fans stark verbreitet ist. Gelindert wird das Fieber meistens nur durch einen Kuss von Justin höchstpersönlich!

Bieber-Boom: Das passiert, wenn Justin in deiner Stadt oder in deinem Land zu Gast ist.

Bieber-Hasser: Leute, die Justin hassen und über ihn lästern. Sie haben Spaß daran, seine Fans zu ärgern.

BODYGUARD

Der Bodyguard, der auf Justin aufpasst, heißt Kenny Hamilton. Er ist ein aboluter Profi und Justin weiß, dass er mit Kenny an seiner Seite sicher ist. Es ist Kennys erster Job als Bodyguard. Bevor Scooter ihn als Justins Beschützer einstellte, hat er als DJ gearbeitet. Kenny ist ein alter Freund von Justins Manager, und als Justin die ersten Reisen unternahm, half Kenny zunächst ein wenig als Securitymann aus. Dann wurde Justin plötzlich weltberühmt und brauchte einen Bodyguard, da war Kenny der perfekte Mann für diesen Job.

Mittlerweile ist Kenny auch bei den Fans bekannt. Er hat mehr als 170.000 Follower bei Twitter und sein Account musste gesichert werden, da sich andere für ihn ausgegeben hatten. In seiner Twitter-Beschreibung heißt es: »Mein Job ist es, andere Leute zum Lächeln zu bringen ...«

Kenny wird alles in seiner Macht Stehende tun, um Justin zu beschützen, er würde für ihn sogar sein Leben riskieren. Seine Aufgabe ist es, die Paparazzi von dem Star fernzuhalten, wenn sie zu aufdringlich werden, und dafür zu sorgen, dass Justin sich frei bewegen kann. Doch Kenny kann Justin nicht allein beschützen, wenn dieser von Hunderten von Fans umringt wird. Er ist der Leiter eines ganzen Teams von Bodyguards, das Justin rund um die Uhr, sieben Tage die Woche beschützt.

Wenn Justin in der Vergangenheit nicht auf seine Mom hören wollte, bat sie Kenny, den Jungen zur Vernunft zu bringen. Auf Kenny hört er und betrachtet ihn als sehr guten Freund, nicht nur als Bodyguard. Kenny, Scooter, Scooters Freundin und der Rest des Teams sind für Justin wie eine Familie, ein Leben ohne sie könnte er sich gar nicht mehr vorstellen.

Einige Bieber-Hasser haben öfter schon sehr üble Kommentare über Kennys Körpergewicht gemacht. Aber neben Justin sieht einfach jeder Erwachsene dick aus – weil der Junge einfach so schlank ist. Laut einem Zeitungsbericht veranlassten die Blogger-Kommentare Kenny dazu, sich 40 Pfund abzutrainieren, und er sieht heute tatsächlich fitter aus als früher.

Justins Fans gegenüber verhält Kenny sich stets fair und lässt sie zu ihm, wenn es Sicherheit und Zeit erlauben. Wenn es der junge Sänger aber eilig hat, lotst Kenny ihn innerhalb kürzester Zeit sicher aus einem Gebäude in ein Auto. Wie alle Bodyguards hält Kenny stets Ausschau nach möglichen Gefahren und hat für Notfälle immer einen Fluchtplan im Kopf. Wenn Fans ihm Geschenke für Justin geben wollen, nimmt er diese in der Regel nicht entgegen, weil er sich ja auf die Sicherheit seines Schützlings konzentrieren muss. Wer also einen Brief oder ein Geschenk für Justin hat, sollte diese am besten an seine Fanmail-Adresse schicken.

BÜCHER

Als Kind mochte Justin das Buch *Wir gehen auf Bärenjagd* sehr gern. Allerdings war er definitiv nicht das einzige Kind, das sich von diesem Kinderbuchklassiker von Michael Rosen hatte fesseln lassen: Seit seiner Veröffentlichung vor zwanzig Jahren ist das Buch für Tausende von Kindern zur Lieblings-Gute-nachtgeschichte geworden.

Zurzeit ist Justins Lieblingsbuch *Fledgling: Jason Steed* von Mark A. Cooper. Jaden Smith hat es ihm empfohlen und Justin ist ihm im

Nachhinein echt dankbar. Jaden und Justin hatten zusammen den Song *Never Say Never* für den Film *Karate Kid* aufgenommen. In diesem Film spielt Jaden die Hauptrolle des Dre Parker, eines Jungen, der sich von einem alten Meister in Karate ausbilden lässt. Jaden ist der Sohn von Hollywoodstar Will Smith und Justin trifft sich mit ihm, wann immer die beiden Zeit haben, um gemeinsam abzuhängen.

Das Buch *Fledgling: Jason Steed* gefiel Justin sehr, es ist die Geschichte über einen Jungen, der später gern Mitglied der Spezialeinheit SAS werden möchte und während eines Aufenthaltes in einem Sommercamp der Sea Cadets in eine militärische Operation verwickelt wird. Manche Stellen berührten Justin so, dass er sich beim Lesen hin und wieder mal eine Träne wegwischen musste. *Fledgling* ist das erste Buch einer ganzen Serie, deshalb wird Justin sicherlich auch den zweiten Teil – *Revenge of Boudica: Jason Steed* – lesen, der dieses Jahr erscheinen soll.

Ein anderes Buch, das Justin über alles liebt, ist *Percy Jackson: Diebe im Olymp* von Rick Riordan. Er hat es förmlich verschlungen und empfiehlt es all seinen Fans wärmstens weiter. Außerdem ist der junge Superstar der Meinung, dass jeder – egal welchen Alters – einfach mal die Bibel lesen sollte. Gegenüber *Scolastic* sagte er: »In der Bibel gibt es viele Lektionen, die man im Alltag anwenden kann.«

Letztes Jahr hat Justin ein eigenes Buch geschrieben, *First Step 2 Forever: My Story*, das nicht nur in den USA und in Kanada, sondern rund um die Welt ein großer Erfolg wurde. In einigen Städten gab der junge Autor Signierstunden und brachte viele Fans auf Wolke 7, weil sie ihren Star persönlich treffen und umarmen konnten. Im November 2010 schrieb Justin auf Twitter: »Wow. FIRST STEP 2 FOREVER ist immer noch auf der Bestseller-Liste der *NY Times*. Seit fünf Wochen!! Vielen, vielen Dank euch allen. Ich hoffe, euch gefällt das Buch.« Die deutsche Ausgabe trägt den Titel *Justin Bieber: Erst der Anfang – Mein Leben*.

C
STEHT FÜR

CAITLIN

Caitlin ist eine sehr gute Freundin von Justin. Während er sich gerade in Deutschland aufhielt, hatte sie einen schweren Bootsunfall. Seine Freunde informierten Justin per SMS und hinterließen Nachrichten auf seiner Mailbox. Damals sah alles danach aus, dass Caitlin den Unfall womöglich nicht überleben würde. Justin erfuhr davon allerdings erst, als er wieder zu Hause war. Er war total erschüttert und rief sofort Caitlins Familie an.

In einem Interview mit der Zeitschrift *Twist* berichtete er von dem Vorfall: »Ich

hatte Angst um sie und rief deshalb sofort bei ihrer Familie an. Als ich keinen erreichen konnte, wurde ich echt nervös. Ich hab es immer wieder versucht und SMS geschrieben, bis ich endlich mit Caitlins Mom sprechen konnte. Ich telefonierte etwa zwanzig Minuten mit ihr, während sie ständig weinte. Das war wirklich heftig. Caitlin ist meine Exfreundin, ich war vor etwa einem halben Jahr mit ihr zusammen. Weil sie immer noch eine gute Freundin ist, war es echt hart für mich.«

Weiter sagte er: »Ich habe sie im Krankenhaus besucht und sie sah richtig schlecht aus. Sie hatte überall Infusionsschläuche und konnte gar nicht sprechen. Ich habe ihr einen Teddybär mitgebracht, den ich selbst gebastelt habe, einen ›Build-a-Bear‹. Wir hatten immer vorgehabt, uns so einen Teddy gemeinsam zu basteln, aber wir hatten nie die Gelegenheit dazu gefunden. Ich habe ihn wie mich selbst angezogen, er hatte sogar ein kleines Basecap auf. Caitlin hatte echt Glück, sie hat überlebt und mittlerweile geht es ihr schon viel besser. Sie macht gerade sehr viel Krankengymnastik, um wieder gehen zu lernen.«

Es grenzt schon an ein Wunder, dass Caitlin überlebt hat, weil ihre Verletzungen so schwer waren. Auf dem Weg zum Krankenhaus musste sie sogar wiederbelebt werden. Als Justins Fans erfuhren, was passiert war, litten sie mit ihrem Idol und beteten für Caitlin.

D STEHT FÜR

DAD

Justins Eltern waren sehr jung, als ihr Sohn geboren wurde, und sie ließen sich scheiden, als Justin noch ein Baby war. Sein Dad Jeremy Bieber zog nach Winnipeg in die kanadische Provinz Manitoba, die 1700 Kilometer von Stratford entfernt liegt.

Obwohl Justin bei seiner Mutter aufwuchs, sah er seinen Vater, sooft es nur ging. Die beiden mögen vielleicht weit voneinander entfernt gewohnt haben, aber trotzdem pflegten sie eine innige Vater-Sohn-Beziehung. Jeremy war auch derjenige, der Justin mit verschiedensten Musikstilen vertraut gemacht hat. Mittlerweile hat er zwei weitere Kinder, einen Sohn und eine Tochter – Justins Halbgeschwister. Jazmyn und Jaxon sind wohl noch zu jung, um zu verstehen, dass ihr großer Bruder zu den größten Stars dieses Planeten gehört. Aber wenn sie erst einmal zur Schule gehen, werden ihre Mitschüler bei ihnen Schlange stehen, um sich mit ihnen anzufreunden.

Gegenüber der Zeitschrift *Seventeen* erzählte Justin, wie es ist, geschiedene Eltern zu haben: »Meine Eltern gehörten nicht zu denjenigen, die schlecht über den anderen geredet haben. Nach einer Trennung sagen manche Mütter: ›Dein Vater ist ein Idiot‹, aber meine Mutter hat so was nie gemacht. Das hat die ganze Sache für mich definitiv erleichtert. Ich wusste, dass beide mich lieben, und der Grund, warum sie sich getrennt haben, waren sie selbst, nicht ich.«

In dem Interview mit *Seventeen* sagte Justin: »Mein Dad und ich verstehen uns echt super. Als ich noch klein war, brachte er mir ein paar Songs auf der Gitarre bei, zum Beispiel *Knockin' on Heaven's Door* von Bob Dylan ... Durch ihn bin ich auch auf Rockmusik aufmerksam geworden und er spielte mir Guns N' Roses oder Metallica vor. Auch das Autofahren hat er mir beigebracht. Er ist cool.«

Jeremy ist, schon bevor sein Sohn berühmt wurde, immer sehr stolz auf Justin

SCHON GEWUSST?

In jüngeren Jahren war Justins Dad ein professioneller Wrestler. Heute arbeitet er als Tischler und Bauarbeiter.

er mittlerweile noch stolzer auf ihn sein dürfte. Er hat sich einen Twitter-Account eingerichtet und postet dort regelmäßig Kommentare sowie hin und wieder auch Fotos von Justin, zum Beispiel wie dieser mit seinen kleinen Geschwistern kuschelt. Dazu schrieb er: »Meine kleinen Bieber-Babys ... Solch wundervolle Kinder zu haben ist wahrlich ein Segen!!«

Jeremy ist auf Twitter unter *twitter.com/LordBieber* zu finden, er hat schon über 180.000 Follower.

DATE

Justin mag zwar viel unterwegs sein, aber trotzdem findet er immer noch die Zeit, um Mädchen zu daten. Gegenüber der Zeitschrift *Details* sagte er: »Ich hatte schon Freundinnen – nichts wirklich Ernsthaftes, aber eben feste Freundinnen. Meine erste hatte ich mit zwölf oder 13 Jahren. Einen Monat später haben wir uns getrennt. Ein paar Tage lang hatte ich dieses berühmte flaue Gefühl in der Magengegend, aber danach war alles wieder gut.«

Viele Promis haben Probleme mit ehemaligen Partnern, weil diese mitunter pikante Details über die Beziehung an die Presse verkaufen. Aber Justins Exfreundinnen haben bisher dichtgehalten. Sie wissen, dass seine Fans sehr aufgebracht sein würden, wenn solche Privatgeschichten an die Öffentlichkeit gerieten. Immer wenn jemand etwas Gemeines über Justin in Blogs oder auf einer Website schreibt, gibt es umgehend negative Kommentare und E-Mails von Justins Fans – manche gehen sogar so weit, dass sie die betreffende Website zum Absturz bringen. Sie tun eben alles für ihren Liebling!

Bei seinem ersten richtigen Date war Justin 13. Er lud das glückliche Mädchen zum Essen ein. Im Interview mit der Zeitschrift

gewesen. Auf seiner offiziellen Homepage schrieb er: »Mein Sohn ist mein Leben. Er ist neun Jahre alt und der talentierteste Mensch, den ich kenne. Er ist auch ein ›Hingucker‹ (so wie sein Dad!).« Er hat auf seiner Homepage auch ein paar süße Fotos von sich und seinem Sohn gepostet, aber jetzt hat er die Seite lange nicht mehr aktualisiert.

Auch die Vorlieben für Sport und Reisen scheint Justin von seinem Dad zu haben, der sich auf seiner Homepage selbst als »sehr aktiv« bezeichnet. »Ich liebe es, draußen zu sein. Ich mache viele verschiedene Sportarten. Ich liebe Camping und Segeln, aber am liebsten mag ich das Reisen. Ich war schon in einigen Ländern und hoffe, den Rest der Welt irgendwann auch noch sehen zu können.«

Seitdem hat Jeremy seinen Sohn schon an so vielen Orten performen sehen, dass

M sagte er: »Wenn ich ein Mädchen wirklich mag, werde ich nervös. Es ist mir schon bei einigen Dates passiert, dass ich total Angst hatte. Dann versuche ich, ganz ruhig zu bleiben und immer daran zu denken, natürlich zu sein.«

Weiter erzählte er: »Einmal bin ich bei einem ersten Date mit einem Mädchen in ein italienisches Restaurant gegangen. Beim Essen habe ich sie aus Versehen mit Spaghetti zugeschmiert! Das war voll peinlich. Ich bin nie wieder mit ihr ausgegangen. Deshalb würde ich davon abraten, beim ersten Date zum Italiener zu gehen, weil das in einer Katastrophe enden kann! Diesen Fehler werde ich nie wieder machen.«

In der Vergangenheit mag Justin vielleicht auch schlechte Erfahrungen gesammelt haben, trotzdem findet er immer noch, dass eine Einladung zum Essen die beste Möglichkeit für ein erstes Date ist. Ins Kino zu gehen hält er für Quatsch, weil man sich während des Films nicht richtig unterhalten kann, und er zieht es vor, bei einem Date etwas mehr über das Mädchen zu erfahren.

DUETTE

Justin ist so beliebt und talentiert, dass andere Künstler Schlange stehen, um ein Duett mit ihm aufzunehmen. Seine Stimme ist ja auch wirklich unverwechselbar. Usher sang mit ihm *First Dance*, Ludacris ist bei *Baby* zu hören, Jessica Jarrell bei *Overboard*, Sean Kingston bei *Eenie Meenie* und Jaden Smith bei *Never Say Never*. Justin würde es ganz große Klasse finden, wenn er mit Beyoncé ein Duett singen könnte, da sie seine absolute Lieblingssängerin ist.

Zurzeit sieht alles danach aus, als würde Justin als Nächstes einen Song mit der Country Band Rascal Flatts aufnehmen. In den USA ist die Gruppe sehr erfolgreich und hat in den letzten zwanzig Jahren sieben Studioalben und fünf Compilations herausgebracht.

Leadsänger Gary LeVox sagte in einem Radiointerview: »[Justin] hat uns gefragt, ob wir mit ihm ein Duett für sein nächstes Album machen wollen. Es ist wirklich ein sehr guter Song!« Justin wird für die Aufnahmen nach Nashville reisen, in die Hauptstadt der Countrymusik.

Auch Demi Lovato möchte gern einen Track mit Justin aufnehmen, genauso wie Miley Cyrus. In einem Interview sagte Miley: »Wir sprechen schon seit Langem über die Möglichkeit, ein Duett aufzunehmen, wahrscheinlich einen Acoustic-Song. Justin ist echt süß, ich würde gern mit ihm zusammenarbeiten. Meine Schwester liebt ihn und ich bin großer Fan von ihm. Ich würde sogar behaupten, dass ich unter Bieber-Fieber leide!«

Justin hatte bereits die Möglichkeit, mit einem Star zusammenzuarbeiten, den man sich nicht unbedingt an seiner Seite vorstellen konnte, nämlich mit dem angesagten HipHop-Künstler und Produzenten Dr. Dre. Bisher gibt es keine Pläne, den Song, an dem sie im Juli 2010 gemeinsam gearbeitet haben, zu veröffentlichen und beide haben sich auch nicht weiter über das Projekt geäußert. Aber Justin schrieb damals auf Twitter: »Bin im Studio mit einer absoluten Legende, Dr. Dre ... Wir haben ein paar Beats gemacht und er hat mir Tipps gegeben. Ich war voll geflasht. Kann man mir das verübeln?«

Im Dezember 2010 erfuhren die Fans, dass Justin 2011 einen neuen Song mit Chris Brown veröffentlichen wird. Konkreter wurden die Pläne, als Justin ein Video auf Twitter postete, in dem er Browns Hit *With You* sang und dazu eine Nachricht hinterließ: »Bin voll aufgeregt, werde eine neue Single mit einem meiner Freunde veröffentlichen, einem großen Künstler, dessen Songs ich bereits auf YouTube gesungen habe. Das wird eine fette Platte! SMASH!«

Chris Brown bestätigte die Zusammenarbeit, indem er auf Twitter schrieb: »Justin Bieber und ich werden im neuen Jahr eine neue Single veröffentlichen.«

STEHT FÜR

EISHOCKEY

Justin ist ein großer Eishockeyfan. Er mag es, sich die Matches live oder im Fernsehen anzusehen. Als Kanadier muss man diesen Sport einfach lieben! Seit seinen Kindertagen ist er Fan der »Toronto Maple Leafs« und war Anhänger des Stratforder Erwachsenenteams »Cullitons«. Außerdem hat er selbst für einige kleine Vereine in seiner Heimatstadt gespielt – obwohl er nicht gerade groß ist, war er dennoch einer der Schnellsten.

Bis er zu alt dafür war und dem Travel Hockey Team in Stratford beitrat, hat Justin zunächst in der örtlichen House Hockey League gespielt. Die Spiele fanden in der William Allman Memorial Arena am Morenz Drive statt.

Als kleiner Junge war er ein großer Bewunderer des Eishockeyspielers Wayne Gretzky. Wayne trug den Spitznamen »The Great One« und wird als einer der besten Spieler aller Zeiten angesehen. In seiner Zeit als Profi hat er in verschiedenen Teams gespielt, er beendete seine Karriere 1999 bei den New York Rangers.

In einem Interview sagte Justin: »Ich gehörte nicht zu denen, die schon als Kind gesagt haben: ›Ich will später mal berühmt werden.‹ Zwar hab ich schon immer gern gesungen, aber das war nur Spaß … Ich hab viele verschiedene Dinge gemacht, zum Beispiel Sport. Singen war nur eins meiner Hobbys, das ich nicht besonders ernst genommen habe … Was ich damals gemacht habe, war, Autogramme zu üben, für den Fall, dass ich ein berühmter Eishockeyspieler werden würde. Deshalb fällt mir Autogrammegeben heute nicht schwer.«

Auch Justins beste Freunde Ryan und Chaz hatten davon geträumt, Eishockeyprofis zu werden.

Vielleicht ist es nur passend, dass das erste Konzert von Justins *My World Tour* im XL Center im amerikanischen Hartford stattfand, wo das Eishockeyteam Connecticut Whale zu Hause ist. Justin muss wohl mal davon geträumt haben, Eishockey in großen Arenen zu spielen, und bis zu einem bestimmten Grad hat er seinen Traum verwirklicht – er spielt zwar nicht Eishockey, aber er singt vor Tausenden von Menschen.

ERFOLG

Justin hat sich vorgenommen, immer bodenständig zu bleiben. Er ist sich sicher, dass ihm seine Mom, seine Freunde und die Familie sowie sein Glaube an Gott dabei helfen werden. Außerdem hat er die Absicht, noch in zehn oder zwanzig Jahren auf der Bühne zu stehen und erfolgreich zu sein. Seine Mom begleitet ihn, wenn er auf Tour geht, und hilft ihm, trotz seines Erfolgs nicht abzuheben.

Erfolgreich zu sein hat auch Nachteile, zum Beispiel wenn Justin einfach nur mit seiner Familie oder seinen Freunden essen gehen will. Da er ein weltweiter Superstar ist, wird er mittlerweile in vielen Ländern der Welt erkannt. Als er am 2. De-

gefragt, wie er dies geschafft habe – schließlich hatte er nicht wie Miley Cyrus oder die Jonas Brothers Disney oder den Sender Nickelodeon im Rücken. Justin antwortete: »Im Grunde war mein Plan, einfach nur gute Musik zu machen und mich nicht auf ein bestimmtes Publikum festzulegen. Ich weiß, dass gerade Teenager mich mögen, aber ich will einfach jeden erreichen. Ich möchte mir keine Grenzen setzen.«

Manchmal kann der Ruhm auch für Justin zu viel werden, und dann sagt er Dinge, die er nicht so meint. Das passiert in Situationen, wo er müde ist oder Heimweh hat, aber trotzdem Interviews geben muss. Als er mit der Journalistin Liz Jones sprach, hatte er gerade seine Stimme verloren, musste das Interview aber trotzdem durchstehen. Als sie ihn zu seinen Fans befragte und wissen wollte, wie sehr sie ihn liebten, antwortete er: »Das ist keine echte Liebe. Klar, man kann sagen, dass sie echt ist, aber das stimmt nicht. Die Leute kennen mich gar nicht.« Justin gab auch zu, dass er sich einsam fühlt – trotz der Millionen von Fans. »Eigentlich möchte ich nur mit meinen Freunden abhängen, muss aber immer Bodyguards um mich herum haben ... Immerhin wird mich demnächst mein Hund auf Tour begleiten.«

Berühmt zu sein bedeutet auch, dass die eigenen Worte verdreht und aus dem Zusammenhang gerissen werden können – und meistens erscheint das Gesagte dann viel schlimmer, als es tatsächlich gemeint war. Am Tag vor seinem Interview mit Liz Jones schrieb Justin auf Twitter: »Manchmal wacht man morgens auf, geht ins Internet und sieht, dass einem jemand das Wort im Mund verdreht hat oder einen kleinen Schnipsel

zember 2010 in London das indische Restaurant La Porte Indes besuchte, trug er zur Tarnung einen aufgemalten Schnäuzer, mit dem er zehn Jahre älter aussah. Übrigens hatte er auch einen Spielzeughubschrauber dabei, wodurch er wiederum sehr aufgefallen sein muss.

Als er mal in New York essen ging, war er mit einem Trenchcoat, Hut und Brille verkleidet, aber die Leute erkannten sein Gesicht trotzdem und fotografierten ihn. Aber Justin hatte keine Zeit, um sich mit seinen Fans zu unterhalten, da er auf dem Weg zu einem Date mit Rihanna war. Wenn der junge Sänger mit einem weiblichen Promi wie zum Beispiel Rihanna zum Essen verabredet ist, folgen ihm noch mehr Paparazzi als gewöhnlich, weil sie hoffen, ein Foto von ihm und seiner angeblich neuen Freundin zu schießen – auch wenn die beiden gar kein Paar sind.

Es ist schon erstaunlich, dass Justin in so kurzer Zeit so erfolgreich geworden ist. In der Today Show wurde er vom Moderator

Spezialitäten. Natürlich kommt es schon mal vor, dass er gewisse Dinge nicht mag, aber typisch für ihn ist, dass er immer gern etwas Neues kostet. In den letzten zwei Jahren hat er in den besten Restaurants der Welt gegessen – und dort offenbar auch immer problemlos einen Tisch bekommen.

Die englische Küche mag er nicht so gern, er steht eher auf Italienich – vor allem auf Spaghetti bolognese und Pizza. Zum Nachtisch isst er am liebsten Apfelkuchen und den Tag beginnt er immer mit Zerealien wie zum Beispiel Cap'n Crunch.

Justin liebt Süßigkeiten über alles und isst sogar vor seinen Konzerten gern mal ein wenig Weingummi, was ihm offenbar ordentlich Energie spendet! Er mag auch gern Sour Patch Kids, leicht saure Kaubonbons, die in den USA sehr beliebt, allerdings nicht überall auf der Welt zu kaufen sind. Bei Weingummi muss er sich keine Gedanken machen, wenn er auf Tour ist – diese Süßigkeit gibt es fast in jedem Land. Und wenn Justin Appetit auf Fastfood hat, geht er am liebsten zu Subway.

Viele Fans waren geschockt, als gewisse Details über Justins Tour im Internet publiziert wurden. Es hieß, dass täglich insgesamt 10.000 Pommes frites sowie etwa 75 Softdrinks vertilgt wurden. Man muss aber wissen, dass Justin ein großes Team um sich hat – er hat die Pommes sicherlich nicht alle allein gegessen!

Wenn für Justin ein Fernsehauftritt ansteht, wird er meistens gefragt, was er gern in seiner Garderobe serviert bekommen möchte. Der junge Sänger wählt immer einfache Dinge wie Obst und Mineralwasser. Er ist keine Diva wie manche andere Promis, die berühmt dafür sind, sich extravagante Dinge bringen oder den Raum nach ihrem Geschmack umdekorieren zu lassen.

völlig aus dem Zusammenhang gerissen hat. Das ist frustrierend ... Man wird vorsichtiger. Manchmal weiß man nicht, wem man vertrauen kann. Man sagt etwas zu jemandem – und dann wird etwas ganz anderes abgedruckt ... Deshalb mag ich Twitter. Hier kann ich schreiben, was ich will. Und niemand kann das verdrehen.«

ESSEN

Was das Essen angeht, ist Justin ziemlich experimentierfreudig, und wenn er ein anderes Land besucht, probiert er gern die dortigen

STEHT FÜR

FACEBOOK

Justin hat eine offizielle Facebook-Seite – mit mittlerweile fast 20 Millionen Fans! Natürlich geben sich viele im Netzwerk für Justin aus, aber es existiert tatsächlich nur ein echter Justin Bieber auf Facebook.

Auf seinem Profil hat er Links zu sieben seiner Lieblingsseiten gepostet, so etwa zu denen seiner Lieblingspromis Usher, Taylor Swift und Asher Roth sowie zu denen der Organisationen Pencils of Promise, Make-A-Wish Foundation USA, Children's Miracle Network und Praying for Hayley Okines, die er alle unterstützt.

Hayley Okines, ein großer Fan von Justin, leidet unter einer Krankheit namens Progerie, die sehr selten auftritt – man geht davon aus, dass zurzeit weltweit nur 53 Menschen davon betroffen sind. Hayley ist erst 13 Jahre alt, aber sie leidet unter Haarausfall, Herzproblemen und Arthritis – Beschwerden, mit denen sonst eigentlich nur alte Menschen zu kämpfen haben. Wer diese Krankheit hat, wird durchschnittlich nur 13 Jahre alt, weshalb Hayleys Freunde alles unternahmen, was sie konnten, um ihren größten Wunsch zu erfüllen: ein Treffen mit Justin. Nachdem sie für Hayley eine Facebook-Seite und den Twitter-Account *BiebsmeetHayley* eingerichtet hatten, schafften sie es, mit Justins Kumpel Christian Kontakt aufzunehmen, der ihm von Hayley und ihrem Wunsch erzählte.

Im Dezember 2010 arrangierte Justin ein Treffen mit dem Mädchen, das allerdings geheim bleiben sollte. Seine Nachricht auf Twitter lautete damals: »Treffe mich bald mit einem ganz besonderen Menschen.«

Später schrieb er Hayleys Freunden, die sich so sehr für das kranke Mädchen eingesetzt hatten, über deren Twitter-Account folgende Nachricht:

»Ihr habt echt Tolles geleistet. Und ihr hattet recht, sie hat ein fantastisches Lächeln :) ... Das war ein wirklich lustiges Treffen. Sie hatte absolut keine Ahnung, und als sie mich sah, fing sie an zu kreischen. Alle anderen dachten: Was ist denn jetzt los?!? ... Sie war echt süß und ich habe ihr Tickets für die Show demnächst in Großbritannien geschenkt. Ich denke, ihr solltet sie dorthin begleiten ... Danke, dass ihr das Treffen organisiert habt. Sie ist ein tolles Mädchen ... Ich freue mich, dass ich helfen konnte.«

Es war echt klasse von Justin, dass er sich trotz vollen Terminplans die Zeit genommen hatte, Hayley zu treffen, und dass er dann auch noch ihre Facebook-Seite zu seinen Favoriten hinzugefügt hat. Damit zeigte er, dass sie ihm wirklich wichtig ist, und außerdem bat er seine Fans, für das kranke Mädchen zu beten.

Auf Justins Facebook-Seite kann man sich für Newsletter eintragen und viele tolle Fotos anschauen. Man kann sich natürlich auch mit anderen Fans über Justin austauschen, aber man muss sich im Klaren darüber sein, dass es auf diesen Messageboards viele Leute gibt, die keine Fans sind und einfach nur gemeine Dinge über Justin verbreiten. Niemals sollte man eine Telefonnummer oder andere persönliche Daten auf diesen Boards oder

generell im Internet veröffentlichen, weil diese Infos schnell in falsche Hände geraten können.

Justin hatte auch mal eine Rubrik unter der Bezeichnung »Stories« auf seiner Facebook-Seite, musste sie aber entfernen, nachdem sie zu großen Problemen geführt hatte. Er hatte nicht damit gerechnet, was passieren würde, als er seinen Fans schrieb: »Guten Morgen, Welt ... Ich habe soeben das neue STORIES-Tab auf meiner Facebook-Seite gepostet. Darauf könnt ihr Geschichten darüber veröffentlichen, wie ich und meine Musik eurer Leben begleitet haben.«

Justin dachte wohl, dass lediglich ein paar Fans dieses Tab nutzen würden, aber er hatte sich geirrt – innerhalb kürzester Zeit hatten Millionen versucht, auf der STORIES-Seite eine Nachricht zu hinterlassen. Nur eine Stunde nachdem Justin seinen Fans geschrieben hatte, musste das STORIES-Tab wieder entfernt werden. Justin veröffentlichte sofort ein Statement: »Wow – Facebook musste das STORIES-Tab von meiner Seite entfernen, weil wir damit das gesamte System gecrasht haben!! Hahaha ... Ich liebe meine Fans!!«

Im Juli 2010 veröffentlichte die *Huffington Post* eine Liste der fünfzig beliebtesten Menschen auf Facebook. Justin schaffte es in die Top Ten – kein Wunder, denn er bekommt täglich etwa 50.000 neue »Freunde«.

Mittlerweile hat Justin Lil Wayne, Hugh Laurie, Cristiano Ronaldo und Barack Obama überholt und liegt auf Platz fünf. Es ist wohl nur eine Frage der Zeit, bis er die Top drei erreicht. Man wird abwarten und sehen müssen, ob er jemals die Legende und gleichzeitig sein großes Vorbild, Michael Jackson, schlagen kann.

DIE TOP TEN:

1. Michael Jackson
2. Lady Gaga
3. Vin Diesel
4. Barack Obama
5. Megan Fox
6. Cristiano Ronaldo
7. Hugh Laurie
8. Lil Wayne
9. Justin Bieber
10. Taylor Swift

FAMILIE

Justin stammt aus einer großen Familie und alle seine Verwandten sind sehr stolz auf ihn. Vor allem sein Großvater ist immer den Tränen nahe, wenn er seinen Enkel auf der Bühne sieht.

Ein Teil von Justins Familie stammt aus dem französischsprachigen Raum Kanadas und spricht deshalb kein Englisch. Aus diesem Grund lernte Justin Französisch, um sich mit ihnen unterhalten zu können. Mittlerweile spricht er die Sprache fließend und hat sogar schon eine französische Version von *One Less Lonely Girl* aufgenommen, die auf der kanadischen Version des Albums *My World* erschienen ist. Bei einem Konzert in Paris hat er seinen Fans etwas auf Französisch vorgesungen – für ihn ein tolles Erlebnis.

Familie bedeutet Justin alles, und wenn er sich zwischen seiner Familie und der Musik entscheiden müsste, würde er sicherlich nicht die Musik wählen. Obwohl Justin über zehn Jahre älter ist als seine beiden Halbgeschwister Jazmyn und Jaxon, sind die drei sich trotzdem sehr nahe. Jazmyn und Jaxon leben zwar in Kanada, aber für Justin ist die große Entfernung kein Problem, da er einfach ins nächste Flugzeug steigen und sie besuchen kann, wann immer er ein paar Tage frei hat.

Am 30. Mai 2010 erklärte Justin seinen Fans, wie wichtig ihm seine Familie ist, und schrieb auf Twitter: »Familie hat oberste Priorität ... Heute hat meine kleine Schwester Geburtstag ... Sie hatte allen gesagt, dass ich nicht kommen werde, weil ich es zeitlich nicht schaffe ... Aber dann bin ich in meine Verkleidung geschlüpft und – Überraschung!!

teil ist, da sie Justin überallhin begleiten kann. Bei weiteren Kindern hätte sie womöglich zu Hause bleiben und sich um sie kümmern müssen.

FANPOST

Justin freut sich sehr über Post und Geschenke von seinen Fans. Wer ihm schreiben oder ein Autogramm haben möchte, muss einen adressierten Rückumschlag an Justins Fanmail-Adresse senden. Wer ein Foto signiert haben möchte, sollte dies am besten zusammen mit einem Brief hinschicken. Es kann einige Monate dauern, bis man Antwort bekommt, aber manchmal hat man auch schon nach 30 Tagen einen Brief von Justin im Briefkasten. Es kommt darauf an, wie voll sein Terminkalender ist.
Die Fanmail-Adresse lautet:

Haha, Überraschung, Jazzy – ich konnte dich doch nicht allein feiern lassen! Sogar der kleine Jaxon war überrascht. Ha!«

Justin postete schließlich ein süßes Foto von dem Kleinen und schrieb: »Mein kleiner Bruder J ist am Chillen.«

Justin, Jazmyn und Jaxon haben zwar denselben Dad, aber verschiedene Mütter. Justins Mom ist Pattie, und Jazmyns und Jaxons Mutter heißt Erin. Sie ist die zweite Ehefrau von Vater Jeremy.

Pattie hat außer Justin keine weiteren Kinder, was für sie heute eigentlich von Vor-

Justin Bieber
c/o Island Def Jam Group
Worldwide Plaza
825 8th Ave
28th Floor
New York, NY 10019
USA

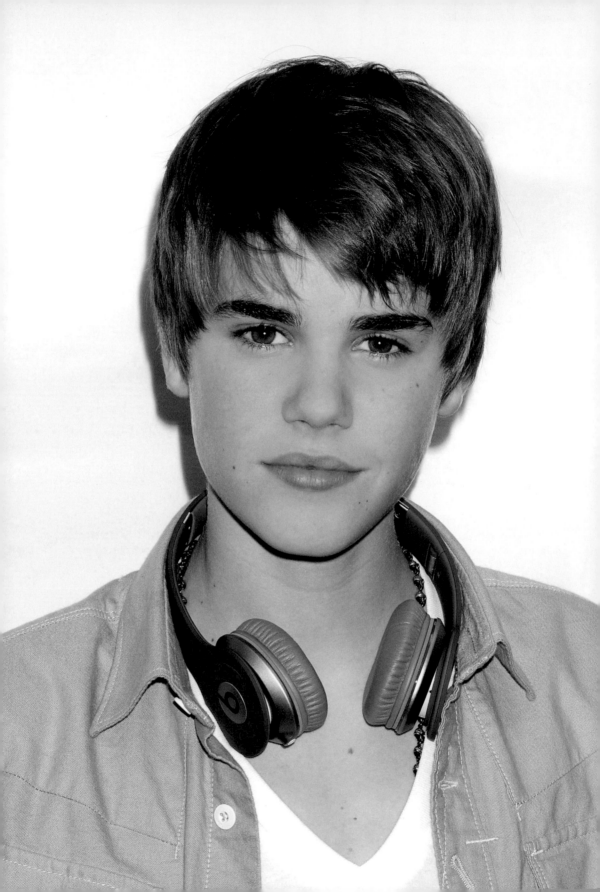

Justin ist total überwältigt von den fantastischen Geschenken, die er von seinen Fans erhält. Die meisten verbringen viel Zeit damit, das perfekte Präsent für ihren Liebling auszusuchen, oder sie basteln etwas ganz Besonderes für ihn.

Justins Lieblingsgeschenk dürfte wohl die Erkennungsmarke sein, die er um den Hals trägt. Gegenüber *BOP!* erklärte er deren Herkunft: »Die Marke habe ich tatsächlich von einem Fan geschenkt bekommen ... Ihr ursprünglicher Besitzer war ein naher Bekannter des Fans, er war im Krieg gefallen. Dies war seine Erkennungsmarke, die trage ich für die Fans.« Justin war sprachlos, als er die Geschichte erfuhr, und fühlte sich mit diesem Geschenk geehrt.

Wenn Justin sich um seine Fanmail kümmert, verbringt er mehrere Stunden damit, Autogramme zu geben und die Geschenke seiner Fans auszupacken. Darunter befinden sich selbst gebastelte Tagebücher mit vielen Fotos, Botschaften und Erinnerungsstücke. Viele seiner Fans sind überaus talentiert und schicken ihm regelmäßig atemberaubende Zeichnungen. Er bekommt täglich Hunderte von Briefen, was ihm das Gefühl geben muss, sehr geliebt zu werden, und was ihm auch an nicht so tollen Tagen definitiv gute Laune machen dürfte.

FANS

....

Justins Fans gehören zu den leidenschaftlichsten der Welt. Sie stehen zu ihm, egal, was passiert. Im Oktober 2009 sprach der Sänger in einem Interview mit der Zeitschrift *Detail* über seine Fans und sagte: »Einmal habe ich ein sechs Monate altes Baby kennengelernt, das schon Fan von mir ist ...

Ich habe viele junge Fans, aber die meisten sind so um die 14 oder 15. Meine Mom ist 35, sie ist wohl mein ältester Fan ...« Zu den emotionalen Begegnungen mit weiblichen Fans sagt er: »Es stört mich nicht [wenn weibliche Fans ihre BHs zeigen] ... War nur ein Witz – ich finde das nicht cool. In Seattle war mal ein Mädchen – ich habe es nicht mal kommen sehen. Sie rannte auf mich zu, versuchte mich zu umarmen und riss mich einfach um. Das war echt aggressiv und auch beängstigend.«

Manchmal kommt es unter seinen Fans sogar zu Handgreiflichkeiten. Als Justin bei einem Konzert in Pittsburgh sein Handtuch in die Menge warf, fingen zwei Mädchen im Publikum an, um die heiß begehrte Trophäe zu kämpfen. Letztendlich musste Justin seinen Song unterbrechen und die beiden Streithähne bitten, sich zu vertragen.

Jedes Mal wenn er bei einem Konzert *One Less Lonely Girl* singt, holt er einen glücklichen weiblichen Fan aus dem Publikum auf die Bühne. Meistens sind die Mädels von ihren Gefühlen völlig überwältigt und glauben zu träumen. Die 14-jährige Emma Curto gehörte zu den Auserwählten und berichtete in einem Radiointerview mit *Canada FM* über diesen einen perfekten Moment mit Justin: »Als er mein Gesicht berührt hat, war das der schönste Augenblick meines Lebens.«

Emma hatte das Konzert einfach nur genossen, bis jemand auf sie zukam und sie fragte, ob sie das »One Less Lonely Girl« sein wolle. 15.000 Fans befanden sich in der Halle, aber an jenem Abend hatte Emma das große Los gezogen. »Ich saß völlig ahnungslos auf meinem Platz ... Mein Puls war plötzlich auf 180 und ich dachte nur: Okay, ich werde das Beste aus dieser Situation machen. So was werde ich nie wieder erleben.« Emmas Dad, der sie zum Konzert begleitet hatte, war nicht ganz so begeistert, weil er an einer Stelle des Songs befürchtete, dass Justin seine Tochter küssen würde. Er sagte in demselben Interview: »Es sah so aus, als wollte er sie küssen, aber sie berührten sich nur mit den Köpfen, wofür ich recht dankbar war.«

Es ist gut, dass Justin bei diesem Song keine Küsse verteilt – denn die auserwählten Mädchen würden vermutlich niemals damit klarkommen, dass sie von Justin Bieber geküsst wurden. Für Emma war es schon aufregend genug, die Bühne mit einem von Justin überreichten Strauß roter Rosen zu verlassen. Wenn er sie geküsst hätte, wäre sie wahrscheinlich ohnmächtig geworden!

Nach dem erlebnisreichen Konzert hat Emma ihr Ticket zusammen mit einem Foto von Justin eingerahmt. Sie wird den Moment mit ihm auf der Bühne niemals vergessen, so viel ist sicher. In jenem Radiointerview sagte sie: »Das ist die schönste Erinnerung überhaupt, der schönste Moment meines Lebens. Nichts kann das toppen – außer wenn Justin und ich heiraten würden.«

Justin liebt all seine Fans gleichermaßen, aber er hat festgestellt, dass es von Land zu Land Unterschiede gibt. So hält er seine thailändischen Fans für etwas zurückhaltender

Ein Traum wird wahr: Justin holt bei »One Less Lonely Girl« einen weiblichen Fan auf die Bühne und schenkt ihm Rosen.

als die in den USA oder in Großbritannien, sie lassen ihm mehr Raum. Manche tun einfach alles, um ihm irgendwie nahezukommen. So ließ sich eine Mom aus Miami bei einem Gewinnspiel das Gesicht eines Radiomoderators auf ihren Rücken tätowieren, nur um Backstage-Karten für Justins Konzert und ein Treffen mit dem Sänger zu gewinnen.

Als Justin in einem Interview gefragt wurde, welche Fans am lautesten sind, sagte er: »Ich denke, die aus meinem Heimatland Kanada sind am lautesten. Das fühlt sich unglaublich gut an, wenn ich nach Hause komme und mit solch einer Liebe empfangen werde. Es ist immer toll, wenn man mich so sehr unterstützt, aber diese Freude mit meinen kanadischen Landsleuten teilen zu können ist einfach großartig!«

Allerdings weinen oder kreischen die meisten Fans oder werden ohnmächtig, wenn sie Justin sehen. Der junge Sänger kann absolut nicht verstehen, warum sie so extrem reagieren. In einem Interview mit *Contact Music* sagte er: »Mal ehrlich, ich bin gar nicht so cool. Was an mir ist denn so cool, dass es die Leute ausrasten lässt? Wenn ich die Mädels weinen sehe, kann ich es gar nicht glauben ... Ich fühle mich echt geehrt, wenn ihr wegen mir weint, aber irgendwie ist das doch total verrückt!«

Eigentlich hat Justin ja einen recht seltenen und ungewöhnlichen Namen. Aber in Florida wohnt ein 35-jähriger Mann, der diesen Namen mit dem beliebten Sänger teilt. Das Telefon von Justin Bieber aus Florida steht nicht mehr still, weil ihn Tag und Nacht Fans anrufen, die mit dem berühmten Kanadier sprechen wollen. Letztendlich musste Justins Namensvetter sich aus dem Telefonbuch streichen lassen, um den Terror zu stoppen, aber irgendjemand hatte seine

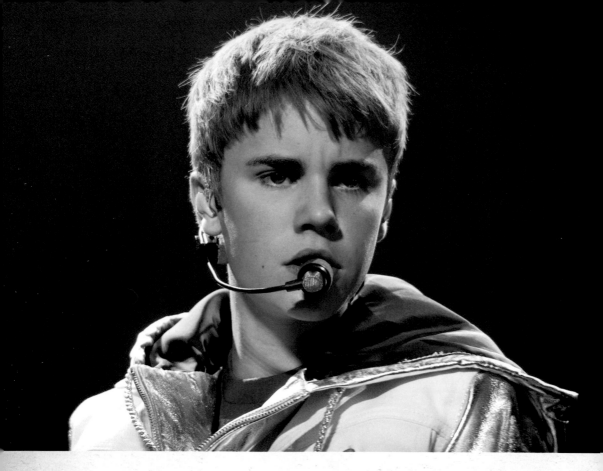

Telefonnummer in einem Fanblog gepostet. Weil er in wenigen Tagen über hundert Anrufe bekommen hat, blieb Herrn Bieber aus Florida nichts anderes übrig, als das Telefon auszustöpseln. Außerdem erhält er sogar Fanpost!

Der ältere Justin Bieber wurde schließlich von Facebook ausgeschlossen, weil man ihn für einen Betrüger hielt – obwohl es doch sein richtiger Name ist! Sein Account wurde eines Tages einfach gelöscht – ohne jegliche Vorwarnung, wie er sagt. Man kann für Herrn Bieber aus Florida nur hoffen, dass sich sein Leben bald wieder normalisieren wird, wenn die Fans aufhören werden, ihn zu belästigen, und sich stattdessen an Justins offizielle Fanadresse wenden.

Justin verbringt sehr gern Zeit mit seinen Fans und posiert für Fotos, aber wenn sie zu aufgeregt sind, ist ihm das unangenehm. Gegenüber *Teen Vogue* gab er ein paar Rat-

schläge, wie man sich am besten verhalten sollte: »Redet einfach mit mir. Fragt mich, wie es mir geht. Stellt euch vor, anstatt bloß zu kreischen: ›Justin! Justin! Justin! Kann ich ein Foto haben?‹ Und stört mich bitte nicht beim Essen. Wie würde es euch gefallen, wenn ich in euer Haus kommen und Fotos von euch beim Essen machen würde? Ich hasse das!«

Manchmal übertreiben es Justins Fans aber auch und bringen dadurch sein Leben in Gefahr. Als der junge Star im April 2010 nach Neuseeland flog, konnte er nicht ahnen, dass er schon am Flughafen von Auckland von aufgeregten Jugendlichen erwartet wurde. Gleich nach der Landung wurde er von ihnen bedrängt und musste von den Bodyguards schnell aus dem Gebäude gebracht werden, bevor Schlimmeres passieren konnte. Seine Mom stürzte bei dem Vorfall zu Boden und ihm riss irgendjemand das Basecap vom Kopf. Das zeigt deutlich, wie verrückt die Fans nach ihm waren. Sicherlich hatte niemand vorgehabt, Justin oder seine Mom zu verärgern. Aber sie freuten sich so sehr, ihren Liebling zu sehen.

Hinterher schrieb Justin auf Twitter: »Bin gestern Abend in Neuseeland gelandet. Am Flughafen herrschte das reinste Chaos. Bin etwas sauer, weil mir jemand mein Cap gestohlen und meine Mama umgerannt hat. Kommt schon, Leute, ich bitte euch. Ich möchte gern Autogramme geben, für Fotos posieren und meine Fans treffen, aber wenn ihr alle nur drängelt, lässt mich die Security nicht zu euch. Also lasst uns die Sache ruhig und sicher angehen und zusammen Spaß haben.«

Als sie von Patties kleinem Unfall gehört hatten, sorgten sich die Fans um sie und schickten ihr Genesungswünsche. Schon bald antwortete Justins Mom über Twitter: »Danke für eure Unterstützung!! Ich bin okay, vielen Dank!!!«

Das Cap hatten die Mädchen in der Hoffnung gestohlen, auf diesem Wege ein Treffen mit Justin erzwingen und so ihrem Idol ganz nah sein zu können. Sie sahen darin eine Gelegenheit, ihn persönlich zu treffen, aber der junge Sänger ließ sich nicht auf diese Sache ein. Einem Journalisten von *3 News* trug er die folgende Nachricht an die Girls auf: »Ihr habt etwas gestohlen, das mir gehört. Im Grunde ist das illegal. Aber vergeben und vergessen ... Ich liebe euch.« Letzten Endes gaben die Mädels das Cap zurück und waren wohl stark enttäuscht, dass ihr Plan nicht aufgegangen ist. Später schrieb Justin auf Twitter: »Sorry, ich lass mich nicht auf Kuhhandel ein ... Hab mein Cap zurückbekommen. Dafür gab's aber keine Umarmung und kein Dankeschön. Bin nur froh, dass diejenigen das Richtige getan haben. Ich billige keinen Diebstahl, haha!!«

Es war richtig, dass Justin die Mädels nicht getroffen hat – sonst hätte er wahrscheinlich andere Fans zu ähnlichen Taten

ermutigt. Wenn er unterwegs ist, muss er sich sicher fühlen können und nicht ständig mit der Angst leben müssen, dass Leute ihm Sachen stehlen könnten.

Justin will, dass seine Fans ihre Träume ausleben. Manche Leute halten die Fans, die von einem Treffen mit ihm träumen, für verrückt, weil dies sowieso nie passieren wird. Aber Justin ist anderer Meinung – er hält alles für möglich. Als 13-Jähriger, als er noch ein gewöhnlicher Schuljunge war und plötzlich mit Usher abhängen durfte, hat er es selbst erlebt.

FASZINIERENDE FAKTEN ÜBER JUSTIN ...

▸ Justin kann einen Zauberwürfel in weniger als zwei Minuten knacken. Allerdings liegt der Weltrekord bei 6,77 Sekunden, deshalb muss er noch ein wenig üben.

▸ Justin nahm an einem Wettbewerb teil, bei dem er einen halben Liter Milch in 26,03 Sekunden trank. Er liebt Herausforderungen und stellt sich ihnen, wo er nur kann!

▸ In Neuseeland wagte Justin eines der gefährlichsten Dinge der Welt – einen Bungee-Sprung von einer hohen Brücke.

▸ Er hat einen Hund der Rasse Papillon mit Namen Sam. Justin sagt, dass das Tier sein bester Freund sei. Sam habe ihm sehr dabei geholfen, sich einzuleben, nachdem Justin nach Atlanta gezogen war.

FILM

Justin war total aufgeregt, als er seinen Fans verkünden durfte, dass er einen eigenen Kinofilm herausbringen wird.

Er teilte seinen Fans mit, dass der Film mit dem Titel *Never Say Never 3D* im Frühjahr 2011 anläuft und dass es sich um eine Dokumentation über den jungen Sänger handelt. Regisseur ist Jon Chu, der zuvor schon mit Tanzfilmen wie *Step Up 3D* und *Step Up to the Streets* große Erfolge feiern konnte. In einem Interview mit *USA Today* erklärte Jon, warum der Film *Never Say Never* heißt: »Es ist der Titel eines seiner Songs, es beschreibt aber auch jeden Moment seines Lebens. Als er noch ein kleiner Junge war, sagte man ihm: ›Du kannst doch gar nicht Schlagzeug spielen‹, aber er hat es trotzdem gemacht. Oder: ›Du kannst deine Videos ins Internet stellen, aber niemand wird sie sich ansehen‹, aber Millionen von Menschen haben sie angeschaut.«

Justins Fans konnten es kaum erwarten, *Never Say Never 3D* zu sehen. Sie freuten sich darüber, dass nur etwa 20 Prozent des Filmes aus Liveauftritten bestanden. Die meisten Fans wollten Justin eher hinter den Kulissen sehen und erfahren, wie sein Leben vor dem großen Erfolg war. Außerdem bekamen sie bisher ungesehenes Material von Justin als kleinem Kind zu sehen.

Kurz vor der Veröffentlichung schrieb Justin immer wieder Tweets über den Film. So beispielsweise am 4. Januar: »Jeden Tag stellen mir die Leute Fragen wegen neuer Gerüchte. Tja, ich denke, meine Antwort wird bis zum Kinostart von *Never Say Never* warten müssen. Der Film beantwortet alles … Warum haben wir *Never Say Never* gemacht? Ich würde sagen, um eine Geschichte über Hoffnung zu erzählen und andere Kids zu inspirieren, ihren Träumen ebenfalls zu folgen … In dem Film geht es nicht nur um mich, sondern auch um Scooter Braun, Studiomama, Thatrygood, Kenny Hamilton und sogar meine Fans … Wir sind alle Underdogs, aber wir haben aneinander geglaubt. Davon handelt der Film hauptsächlich. Etwas weniger als sechs Wochen müssen wir noch warten. Ich bin aber superstolz darauf und kann es kaum erwarten, ihn mit euch zu teilen.«

Als *Never Say Never 3D* im Februar 2011 rund um die Welt in den Kinos startete, wurde es ein Riesenerfolg. Viele Fans sahen ihn sich gleich mehrere Male an und alle wünschen sich, dass Justin möglichst bald einen weiteren Film veröffentlicht. Sie sind begeistert von den limitierten lilafarbenen 3D-Brillen und warten sehnlichst auf die DVD-Veröffentlichung des Films.

Justins Lieblingsfilme:
- *Wie ein einziger Tag* mit Ryan Gosling und Rachel McAdams. (Justins Lieblingsfrauenfilm)
- *Rocky IV* mit Sylvester Stallone. So wie alle anderen Fans der *Rocky*-Reihe hält auch Justin diesen Film für einen absoluten Klassiker.
- *Nur mit Dir – A Walk to Remember* mit Mandy Moore – ebenfalls ein Frauenfilm, der auf einem Buch von Nicholas Sparks basiert, dem Autor von *Wie ein einziger Tag*.
- *Cars* von Disney Pixar – Justin hält ihn für den besten Animationsfilm aller Zeiten.
- *Step Up* mit Channing Tatum – ein Tanzfilm von Jon Cho.
- *Drumline* mit Nick Cannon – ebenfalls ein Musikfilm.
- *Street Style* mit der Boyband B2K – der Film aus dem Jahr 2004 ist auch ein Tanzfilm.
- *Der Soldat James Ryan* mit Matt Damon und Tom Hanks – ein bewegendes Kriegsdrama von Steven Spielberg.

Wenn man sich die Liste von Justins Lieblingsfilmen betrachtet, bemerkt man, dass er sehr auf Tanz- und Musikfilme sowie auf romantische Geschichten steht. Seine Favoriten sind Filme, die er sich mit seiner Mom, seinen Freunden, seiner Crew und sogar seinen kleinen Halbgeschwistern (vor allem *Cars*!) ansehen kann.

Sein liebster Film aller Zeiten muss allerdings *Never Say Never 3D* sein, weil er sein eigenes Produkt ist und seine Lebensgeschichte erzählt. Er hat den Film bereits so oft gesehen, aber er wird wohl nie genug davon bekommen.

FITNESS

Ohne Workout kann man nicht so fit sein wie Justin. Auch wenn er viel um die Ohren hat, nimmt er sich dennoch die Zeit zum Trainieren. Er hat einen eigenen Trainer, der sich um ihn kümmert und dafür sorgt, dass der Junge nicht zu viel oder zu wenig Sport treibt.

Laut Medienberichten heißt Justins Trainer Jordan Yuam. Justin ist nicht der erste Promi, den dieser unter seine Fittiche genommen hat – Yuam kümmert sich unter anderem auch um den Schauspieler Taylor Lautner, der seinen Körper für den zweiten *Twilight*-Film *New Moon* ordentlich aufgepäppelt hat. Jordan glaubt fest daran, dass man nicht nur durch Sport fitter wird, sondern dass man auch aufs Essen achten muss.

Man darf annehmen, dass Justin und Jordan auch dann trainieren, wenn Justin auf Tournee unterwegs ist und die beiden Hunderte von Kilometern voneinander entfernt sind – und zwar über Skype. Angeblich hat Justin sogar seine Essgewohnheiten geändert: Mittlerweile soll er eher Avocados und anderes Gemüse anstelle von Hamburgern zu sich nehmen, allerdings wurde dies von seinem Management nicht offiziell bestätigt.

Justin war schon immer verrückt nach Sport, daher sind für ihn Fußball oder Schwimmen die ideale Beschäftigung. Er kann nicht wie jeder gewöhnliche Teenager joggen gehen, weil er dabei sofort von Fans und Paparazzi umringt wäre. Er kann auch nicht zu viel Zeit im Fitnessraum verbringen, weil er immer noch wächst und seinem Körper Schäden zufügen könnte, wenn er es mit dem Training übertreibt.

Für Justins Fitness ist es bestimmt hilfreich, mit Tänzern auf Tour zu sein, da er sich ihnen einfach anschließen kann, wenn sie ihr tägliches Trainingsprogramm durchziehen. Um jede Nacht eine exzellente Show abliefern zu können, muss er schließlich superfit sein.

FÜHRERSCHEIN

Justin ist es normalerweise gewohnt, in allen Dingen gut zu sein. Daher war es für ihn ein großer Schock, als er bei seiner theoretischen Führerscheinprüfung durchfiel. Er war so sicher gewesen, sie zu bestehen, dass er nicht im Traum daran gedacht hätte, die Fahrschule ohne Führerschein zu verlassen.

Die Sache hatte ihn so sehr geärgert, dass er sich auf dem Weg nach Hause die eine oder andere Träne nicht verkneifen konnte. Außerdem lief er den ganzen Weg zurück durch den strömenden Regen, weil er sich schämte, seine Mutter anzurufen, damit sie ihn abholte. Das war echt hart für Justin, zumal seine Fans und auch die Medien weltweit wussten, wie sehr er darauf gewartet hatte, sich endlich ans Steuer setzen zu dürfen. Jetzt fühlte er sich wie ein Loser.

> **SCHON GEWUST?**
> Justin hatte nur eine Frage zu viel falsch beantwortet.

Bei seinem zweiten Versuch musste Justin sich noch besser vorbereitet haben und er wird wohl darauf geachtet haben, sich alle Fragen genauestens durchzulesen, bevor er sie beantwortete. Und seitdem er seinen Führerschein hat, durfte er schon einige fette Autos wie einen weißen Lamborghini, einen schwarzen Porsche sowie Sean Kingstons Ferrari lenken.

Kingston sagte gegenüber *Popstar!*: »Zuerst hatte ich echt Bammel – ›Nein, Bieber, fahr bitte mein Auto nicht zu Schrott!‹ Aber dann dachte ich mir: ›Hey, das ist Justin Bieber, wenn er mein Auto kaputt fährt, kann er mir gleich einen netten Scheck ausstellen und ich kaufe mir einen neuen Ferrari, ein neueres Modell!‹ Im Ernst, der Junge ist 16 und er hat seinen Führerschein gemacht. Das ging schon in Ordnung.«

Sean ist ein großer Fan von Justin und sagte ebenfalls in jenem Interview: »Justin ist so ehrlich und charmant. Man muss ihn einfach mögen! Meine Mom sagt, sie würde ihn am liebsten in ihrem Koffer mit nach Hause schmuggeln. Er ist wirklich ein feiner Kerl! Er ist mein kleiner Bruder.«

FUSSBALL

Justin ist großer Fußballfan und kickt schon seit vielen Jahren. In Kanada nennt man diese Sportart »Soccer«. Auf YouTube gibt es ein Video von dem noch ganz jungen Justin, auf dem zu sehen ist, wie er seine Fußball-künste zeigt. Das war noch vor seinem gro-ßen Durchbruch als Sänger, damals spielte er in der Mannschaft der Stratford Strikers. Der Club hatte kein eigenes Fußballfeld, daher

fanden die Heimspiele auf den Cooper Stan-dard Soccer Fields in Stratford statt. Tore zu schießen und mit der Mannschaft im Bus zu den Auswärtsspielen zu fahren war damals Justins Welt. Mittlerweile hat die Tourcrew sein Fußballteam ersetzt, aber er denkt im-mer noch gern an die Zeit zurück. Im Booklet seiner ersten CD hat er den Stratford Strikers sogar dafür gedankt, ihn zu dem Menschen gemacht zu haben, der er heute ist.

Justin ist großer Fan des englischen Clubs Chelsea FC und sein Lieblingsspieler ist Way-ne Rooney – auch wenn der für Manchester United spielt. Justin würde gern Privatunter-richt von David Beckham bekommen und hat ihm und seiner Familie als Gegenleis-tung ein exklusives Privatkonzert angeboten. Man wird abwarten müssen, ob sich Justins Wunsch erfüllt.

Gegenüber der Zeitung *The Sun* sagte er: »Ich bin sicher, David würde alles dafür tun, dass seine drei Söhne glücklich sind. Es heißt, dass ich ihr Lieblingskünstler bin, wes-halb ich gern zu ihnen nach Hause kommen und ein Privatkonzert geben würde. Als Dankeschön würde ich nichts anderes haben wollen als eine Stunde Fußballunterricht in Beckhams Garten, bei dem er mir all diese verrückten Dinge beibringt, die er mit dem Ball machen kann.«

Justin mag zwar einen vollen Terminkalen-der haben, aber er nimmt sich dennoch die Zeit, Fußballspiele im Fernsehen anzusehen. So ließ er sich beispielsweise im Sommer 2010 das Finale der Fußballweltmeisterschaft in Südafrika nicht entgehen. »Wer, glaubt ihr, wird das Finale gewinnen?«, schrieb er auf Twitter. »Sieht aus, als würde es ein klasse Spiel geben!«

Nach dem Match gratulierte Justin dem Gewinner Spanien, der die Niederlande mit 1:0 besiegt hatte. »Wow … SPANIEN!!«, ließ er auf Twitter verlauten. »Tolles Spiel … Keiner braucht sich zu schämen. Wahre Champions auf beiden Seiten. Gratulation an Spanien.«

STEHT FÜR

GEBURTSTAGE

Justin wurde am 1. März 1994 in London, Kanada, geboren, wuchs aber ein paar Kilometer entfernt in der Kleinstadt Stratford auf.

Seit seinem zwölften Geburtstag konnte er jedes Jahr auf neue Meilensteine seiner noch jungen Karriere zurückblicken. Die meisten Leute feiern einen Geburtstag nach dem anderen, ohne dazwischen viel erlebt zu haben, aber Justin hat in den letzten Jahren Unglaubliches erreicht:

▸ Mit zwölf nahm er an einem Talentwettbewerb namens *Stratford Star* teil und seine Mom postete danach die Clips der Auftritte auf YouTube. Manager Scooter Braun stieß zufällig auf Justins Clips und konnte den Jungen davon überzeugen, dass er der richtige Manager für ihn war.
▸ Als Justin 13 war, hatte sein Video mit dem Song *With You* von Chris Brown auf YouTube eine Million Views.
▸ Mit 14 entschied Justin sich für Usher als seinen Mentor – und gegen ein Angebot von Justin Timberlake.
▸ Mit 15 veröffentlichte er seine erste Single.
▸ Mit 16 ging er zum ersten Mal auf Tournee durch die USA und Kanada.

Seinen 16. Geburtstag wird Justin niemals vergessen. Seine Familie und Freunde waren bei ihm und er bekam viele tolle Geschenke. In der Fersehshow *Live From Studio Five* erzählte er: »An meinem Geburtstag war ich in L.A., wo wir mit all meinen Freunden und

Bekannten eine große Party gefeiert haben. Dann sind wir nach Toronto geflogen und haben dort mit der Familie gefeiert. Usher und ich sind dann losgegangen, um ein Auto zu besorgen. Er hat mir einen Range Rover gekauft. Jawohl, ich kann Auto fahren!« Moderator Ian Wright gönnte sich einen kleinen Scherz mit dem jungen Star: Als Justin zugab, dass er beim ersten Mal durch die Führerscheinprüfung gerasselt war, vermutete Wright, dass er wohl nicht an die Pedale herangekommen sei … Aber Justin ließ sich nicht ärgern. Mittlerweile hat er sich ja daran gewöhnt, dass die Leute sich über seine Körpergröße lustig machen.

Noch ein weiterer Star hatte Justin ein Auto zum Geburtstag versprochen: P. Diddy. Gegenüber MTV verriet Justin: »P. Diddy sagte, wenn ich 16 werde, würde er mir seinen Lamborghini schenken. Er ist aber bloß ein Schwätzer, haha!« Damit hatte Justin allerdings nicht ganz recht, denn später fotografierten ihn Paparazzi, wie er mit Diddys Lamborghini eine Spritztour machte – offenbar hatte der berühmte Rapper die Autoschlüssel tatsächlich rausgerückt!

Jene erste Geburtstagsfeier in L.A., von der Justin sprach, fand für seine Freunde in Kalifornien und die Mitarbeiter aus der Musikbranche statt. Es handelte sich um eine Hausparty – allerdings nicht in Justins eigenen vier Wänden, wahrscheinlich aus Sorge, dass das Haus von den Partygästen auseinandergenommen werden könnte. Es wurde extra eine Villa dafür angemietet und jeder Gast, den Justin auf seiner Party haben wollte, erhielt eine besondere Einladung. Die Feier war der absolute Hammer – es gab Sumoringen, man konnte schwimmen gehen, Basketball spielen, Karaoke singen, Paintball und Lasergames spielen ... und natürlich gab es viele Leckereien zu essen. Die Villa wurde von Security streng bewacht, sodass keine Paparazzi stören konnten. Die einzigen Fotos an diesem Tag wurden von Justin und seinen Freunden selbst geschossen.

Wenn man bei Google »Justin Bieber 16th party photos« eingibt, bekommt man unter anderem ein lustiges Foto von Justin als Sumoringer, einen Schnappschuss von Usher und Justin in bester Feierlaune, Bilder vom schön geschmückten Kinosaal sowie von Justins Freunden, wie sie sich im Swimmingpool amüsieren, zu sehen.

Als die Party vorbei war, wurde Justin schnurstracks zum Flughafen gefahren, um zu seinen Leuten nach Kanada zu fliegen. Die zweite Party – die Familienfeier – fand in einem Bowlingcenter in Toronto statt.

Justin schrieb auf Twitter: »Gehe heute Abend zum Geburtstagsbowling mit Familie und Freunden ... werde aber bestimmt nicht auf den Bahnen tanzen! ... Danke an euch alle für die Geburtstagswünsche. Ihr habt mein Leben verändert und gebt mir einen tollen Geburtstag, bin sehr dankbar dafür. *Baby* und *Never Let You Go* sind beide in den Top 10 und steigen immer höher! Wow! Ihr seid die besten Fans der Welt!!! Was für ein tolles Geburtstagsgeschenk. Danke!«

Einen Teil des Geburtstagswochenendes verbrachte Justin auch zusammen mit Kobe Bryant, dem berühmten Basketballspieler der Los Angeles Lakers. Justin sieht sich gerne Spiele der Lakers an und war von Bryant dazu eingeladen worden. Während er das Spiel von der Lounge aus verfolgte, konnte er nebenbei auch noch das Eishockeyfinale der Frauen bei den Olympischen Winterspielen im Fernsehen sehen, bei dem die kanadische Mannschaft mit 2:0 gewann und Gold holte.

GELD

Justin mag zwar einige Millionen auf dem Konto haben, aber er kann erst nach dem 18. Geburtstag über sein Geld verfügen. Bis dahin bekommt er nur 50 Dollar (etwa 30 Euro) täglich als Taschengeld, und wenn er etwas Größeres kaufen will, muss er wie jeder andere Teenager auch dafür sparen. Scooter hält es für wichtig, dass ein Großteil von Justins Geld auf ein Treuhandkonto geht, damit der Junge sich weiterhin auf seine Karriere konzentrieren kann und sein Geld nicht für sinnlose Dinge ausgibt. Der Journalistin Liz Jones erklärte der Manager, was geschieht, wenn Kinderstars von Anfang an die Kon-

trolle über ihr Geld bekommen: »Sie werden zu den Ernährern der Familie und die Eltern wissen nicht mehr, wie sie mit ihren Kindern umgehen sollen. Sie haben Angst davor, es sich mit dem eigenen Kind zu verscherzen.«

Justin scheint es ziemlich egal zu sein, ob er an sein Geld herankommt oder nicht. Außerdem hat er von seiner Mutter gelernt, wie man mit Geld umgeht. Man wird nie erleben, dass der junge Star es für unnötige Dinge ausgibt, weil er glaubt, dass sein gutes Leben ein Geschenk Gottes ist. Deshalb will er sein Geld einsetzen, um so vielen Leuten wie möglich zu helfen.

Mit Justins Erfolg haben zwar auch seine Plattenfirma, Usher und Scooter viel verdient, aber in jenem Interview mit Liz Jones verkündete Justins Manager selbstbewusst: »Ich bin ein kluger Kopf. Auch ohne Justin Bieber wäre ich wohlhabend.«

GERÜCHTE

Alle Promis auf der Welt hassen es, wenn Leute Gerüchte über sie verbreiten. Diese sind oftmals verletzend oder sie schaden der ganzen Familie, den Freunden und sogar den Fans. Manchmal glauben auch Justins Fans solch ein Gerücht und machen sich unnötig Sorgen um ihren Lieblingsstar.

Mittlerweile wurde auf Klatschseiten und Blogs schon fünfmal Justins Tod verkündet – was für den Sänger und seine Familie sehr frustrierend ist. Er kann schließlich seine Freunde und Verwandten nicht immer im Voraus warnen, dass mal wieder eine erfundene Todesgeschichte auftauchen könnte. Man stelle sich vor, was eine Meldung wie diese dann bei allen Angehörigen auslöst! Manche Bieber-Hasser laden sogar authentisch wirkende Nachrichtenclips auf YouTube hoch, in denen Reporter an einem vermeintlichen Unfallort stehen und über Justins Tod berichten. Es ist schockierend zu sehen, welches Vergnügen es manchen Leuten bereitet, Justins Familie und seinen Fans auf diese Weise einen Schrecken einzujagen.

Allein in den ersten sechs Monaten des Jahres 2010 gab es dreimal Berichte über Justins angeblichen Tod. Der erste tauchte am 5. Januar auf, der zweite am 22. Februar und der dritte am 10. Juni. Nach einem dieser drei Vorfälle meldete sich Justin sofort über Twitter und ließ seine Fans wissen, dass es ihm gut ging. Er schrieb: »Schon wieder ein Gerücht, dass ich gestorben sei?? Das Verrückteste, das mir bisher passiert ist, geschah auf Langstreckenflügen, haha. Ich LEBE und mir geht's sehr gut. Danke.«

Manchmal wird fälschlicherweise auch verbreitet, dass Justin launisch und unhöflich sei. So soll er angeblich im April 2010 in Australien einen Fernsehproduzenten übelst beschimpft haben. Justin schrieb daraufhin auf Twitter: »Werde mir ein wenig Zeit zum Chillen gönnen und etwas Freizeit mit meiner Mom verbringen ... Diese Gelegenheit hätte zu keiner besseren Zeit kommen können. Ich bin dazu erzogen worden, andere zu respektieren und nicht zu lästern ... und vor allem nicht mit Wut im Bauch auf Lästereien zu reagieren. Mir ist klar, dass meine Familie und Freunde wissen, wie ich wirklich bin. Es gehört wohl zu meinem Job dazu, erfahren zu müssen, wie Erwachsene Lügen über mich verbreiten. Aber alles, was ich dazu zu sagen habe, ist: Ignoriert diese Lügen mit einem Lächeln ... Wir sind alle gesegnet und ich bin immer noch sehr dankbar dafür, dass ihr alle mir dabei geholfen habt, das zu verwirklichen, was ich liebe.«

Justin meisterte die Situation vorbildlich und beschloss, auf eine Klage oder eine angemessene Antwort an den Fernsehproduzenten und die Medien, die diese Lügen verbreitet hatten, zu verzichten. Wieder einmal bewies er, dass er sich von nichts und nimandem aufhalten ließ.

Natürlich wird es immer Gerüchte über ihn in der Presse geben, weil solche Geschichten sich gut verkaufen lassen. Der junge Star wird also weiterhin dagegen angehen und diese Storys dementieren müssen, damit seine Fans die Wahrheit erfahren.

GIRLS

Mädchen, die Justin daten möchte, dürfte es wohl brennend interessieren, worauf der junge Star steht – zum Beispiel auf Natürlichkeit. »Ich mag es nicht, wenn die Girls tonnenweise Make-up tragen, sodass man ihr Gesicht nicht mehr sehen kann«, verriet er auf MTV. »Viele Mädels sind hübsch, aber völlig unsicher. Sie sehen ohne Make-up viel besser aus, aber sie schminken sich trotzdem

... Ich mag Mädchen mit tollen Augen und einem süßen Lächeln.« Justin steht nicht auf Ugg Boots oder große runde Sonnenbrillen, aber bei der Haarfarbe ist er nicht wählerisch – er mag Blond, Braun und Rot.

Justin liebt es, wenn Mädchen lustig, schlagfertig und offen sind. Er zieht diejenigen vor, die zu sich stehen und sich nicht verstellen. Er will keine Freundin haben, die einfach nur gut aussieht, sondern eine mit Köpfchen. »Es wäre doch eine Schande, mit einem heißen Girl auszugehen, mit dem man sich nicht vernünftig unterhalten kann!«, sagte er gegenüber der *Bild*-Zeitung.

Justin würde es nicht stören, wenn seine Freundin älter wäre als er. Der junge Star hat sogar schon mal zugegeben, dass er auch 40-jährige Frauen daten würde. Das wäre allerdings recht seltsam, weil seine Freundin dann älter wäre als seine Mom.

Wenn Justin auf ein Mädchen trifft, das er gern zu einem Date einladen würde, bleibt er zunächst cool und fällt nicht gleich mit der Tür ins Haus. Gegenüber der Zeitschrift *Top of the Pops* sagte er: »Es kommt auf die Situation an. Aber erst mal würde ich sie es nicht wissen lassen – man muss es langsam angehen. Wenn wir uns ein wenig kennengelernt haben, würde ich sie vielleicht fragen: ›Kannst du mir deine Telfonnummer geben, damit ich dich mal anrufen kann?‹ So läuft das normalerweise bei mir.«

Bis vor Kurzem scheint Justin noch Single gewesen zu sein, aber er hatte auch damals schon Dates. Seine Mom war darüber nicht glücklich, weil sie fand, dass ihr Sohn noch nicht reif genug dafür sei. Sie hielte es für besser, wenn er noch ein paar Jahre warten würde – aber Justin liebt die Mädels einfach zu sehr!

Für Promis ist es schwer zu erkennen, ob die Person, die sie daten, sie wirklich mag

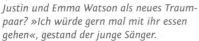

Justin und Emma Watson als neues Traumpaar? »Ich würde gern mal mit ihr essen gehen«, gestand der junge Sänger.

oder nur an Ruhm und Reichtum interessiert ist. Aus diesem Grund sind Promis oftmals untereinander liiert – eine Erklärung, warum Justin und Selena Gomez offensichtlich ein Paar sind.

Im September 2010 hatte Justin noch zugegeben, dass er erst mal gern Single bleiben würde. Eine Freundin zu haben macht in seinem hektischen Leben vieles komplizierter. Er ist so viel unterwegs, dass es schwierig wäre, eine Beziehung aufrechtzuerhalten – es sei denn, das Mädchen begleitet ihn.

Ein Promi, den Justin gern näher kennenlernen würde, ist Emma Watson, der Star aus den *Harry Potter*-Filmen. In einem Interview mit der *Sun* sagte er: »Ich würde gern mal mit ihr essen gehen. Cool wäre auch, wenn sie zu einem meiner Konzerte kommen würde, dann könnten wir hinterher zusammen abhängen. Mir gefällt es, dass sie sich dafür entschieden hat, erst mal aufs College

zu gehen, obwohl sie eine der momentan erfolgreichsten Schauspielerinnen ist. Das zeigt, dass sie sehr bodenständig und normal geblieben ist.«

Justin würde auch gern mal mit Sängerin und Moderatorin Cheryl Cole oder mit Katy Perry ausgehen. Im Interview mit *OK!* sagte er: »Cheryl Cole und Kate Perry sind zwei der heißesten Girls der Welt – und trotzdem sind sie so normal und lustig. Wenn ich ein paar Jahre älter wäre, wären sie der Typ Frau, den ich gerne daten würde. Ich hätte gern jüngere Versionen von Cheryl und Katy – ein Gemisch aus beiden wäre echt heiß.« Auch wenn die beiden zu alt für ihn sind, würde er sie gern zum Essen einladen, damit sie ihm Dating-Tipps geben können.

Wenn die Chemie zwischen beiden stimmt, könnte sich Justin auch vorstellen, irgendwann mit einem Fan auszugehen. Aber jetzt konzentriert er sich erst mal auf seine Musik. Sein Kumpel Usher hat ihn davor gewarnt, sich auf eine Beziehung mit einem Fan einzulassen, weil er die Erfahrung gemacht hat, wie schnell das danebengehen kann. »Ich sage Justin immer: ›Du musst all deine Fans lieben, ohne dich in sie zu verlieben‹«, erklärte Usher gegenüber *Music Time*. »Auch ich habe schon mal ein Date mit einem Fan gehabt, aber es erwies sich als keine gute Idee. Ich versuche Justin zu zeigen, dass man als Star eine Fantasie für die Fans ist, und das sollte man immer im Hinterkopf behalten. Ich weise ihn auch darauf hin, dass er den Erfolg noch nicht zu ernst nehmen sollte. Habe Spaß damit! Und mach viele Bekanntschaften!«

Justin kann gar kein normales Date haben, da ihm sofort Paparazzi auf den Fersen sind, die ihm überallhin folgen. Als er mal mit Selena Gomez ausgehen wollte, musste er so tun, als wäre er ihr zufällig über den Weg ge-laufen. Er war mit Will und Jaden Smith bei einem Highschool-Footballmatch und ganz zufällig saß Selena plötzlich neben ihm. Für Justin muss es echt hart sein, ständig auf der Hut sein zu müssen und sich nicht einfach wie jeder andere Teenager auf ein Date verabreden zu können.

Auch wenn Justin und Selena erst seit Kurzem zusammen sind, träumt er davon, sich niederzulassen und zu heiraten. In den nächsten zehn Jahren möchte er gern seine Mrs Bieber finden und Kinder haben.

Justin hat schon mal übers Telefon mit einem Mädchen Schluss gemacht und das bereut er noch heute. Er weiß, dass es nicht richtig war, er hätte es ihr persönlich sagen müssen. Den Namen des Mädchens hat er nie verraten, aber die beiden sollen angeblich sieben Monate lang zusammen gewesen sein.

Im Interview mit *Top of the Pops* sagte er: »Ich hab mal am Telefon mit einem Mädchen Schluss gemacht – schlimm, oder? Während des Gesprächs waren wir in Streit geraten und irgendwann hab ich gesagt: ›Ich will nicht mehr mit dir zusammen sein‹ und sie fing an zu weinen. Als ich sie ein paar Tage später wiedergesehen habe, war es ein blödes Gefühl, aber wir sind jetzt trotzdem keine Feinde. Alles ist cool. Aber ich würde es nicht empfehlen, das ist echt gemein!«

Seitdem ist Justin viel reifer und romantischer geworden. Er ist nicht der Typ, der für ein Mädchen Blumen und Schokolade kauft, er steht eher auf besondere, romantische Gesten. Er hält den Mädels die Türen auf, lädt sie in ein schönes Restaurant ein oder begleitet sie nach dem Date bis zur Haustür – ein perfekter Gentleman.

Jedes Mädchen, mit dem Justin ausgeht, muss mit seiner Mutter gut auskommen und verstehen, dass Pattie immer Justins Nummer eins bleiben wird. So zeigte er beispielsweise am Valentinstag, wie viel sie ihm bedeutet. »Es gibt einen Menschen, dem ich Blumen schicken werde«, sagte er gegenüber der *New York Post*, »und das ist meine

Mom. Sie ist schon immer da gewesen und hat für mich sehr viel aufgegeben. Ich kann mich sehr glücklich schätzen, sie zu haben. Sie mag Rosen, deshalb werde ich ihr den *One Less Lonely Girl*-Blumenstrauß schicken.«

GLAUBE

Justin ist Gott jeden Tag dankbar. Im Gegensatz zu vielen anderen Stars, die glauben, sie hätten es ganz allein durch sich selbst zu Ruhm und Reichtum gebracht, weiß Justin, dass er ohne Gott ein Niemand wäre.

In einem Interview sagte er: »Ich bete oft, meistens zwei- oder dreimal am Tag. Wenn ich aufwache, danke ich Gott für seinen Segen und dafür, mich in diese Position gebracht zu haben. Und abends nehme ich oft die Bibel zur Hand. Mein Privatlehrer ist sehr religiös, deshalb sprechen wir viel über Bibelverse. Dadurch bleibe ich bodenständig und hebe nicht ab.«

Der Glaube an Gott und Jesus hilft Justin vor allem an schlechten Tagen, weil er dann mit Gott über seine Probleme sprechen kann. Er betet und liest viel in der Bibel. Sicherlich ist es hilfreich, dass seine Mom, sein Privatlehrer und viele Leute aus seiner Crew ebenfalls religiös sind. Denn mit ihnen kann der junge Sänger über Gott sprechen und mit ihnen zusammen beten. Außerdem gibt es da noch Scooter Braun, der jüdischen Glaubens ist. Und vor einem Auftritt kommen alle Band- und Crewmitglieder in einem Kreis zusammen und beten mit ihrem Sänger.

Justin hat seinen Glauben vor seinen Fans nie verborgen und er bittet sie auch öfters mal, mit ihm zu beten. Er glaubt, dass Gebete Menschen helfen können.

So forderte er beispielsweise 2010 seine Fans auf, für die Opfer des starken Erdbebens in Indonesien zu beten. Er hat auch schon für Promis und für gewöhnliche Menschen gebetet, die gerade schwere Zeiten durchmachen.

STEHT FÜR

Haare

Jeder liebt Justins Frisur und sein Wuschel-kopf ist ein großes Thema in der Presse. Im November 2010 wurde ein Foto von ihm ver-öffentlicht, auf dem sein Scheitel nicht wie gewöhnlich nach rechts, sondern nach links gekämmt war. Die »neue« Frisur wurde zu einem großen Aufmacher in der Presse – so als hätte Justin seinen Haarstyle drastisch verändert.

Scooter schrieb auf Twitter: »Er kämmt seine Haare ausnahmsweise mal nach links und die ganze Welt denkt, dass er eine neue Frisur hat. Sorry, Leute, keine neue Frisur ... er muss einfach nur mal den Kopf schütteln, dann ist wieder alles beim Alten ... Es kommt einem vor, als wäre Justin mit dem Scheitel nach links wie [Supermans Alter Ego] Clark Kent mit Brille. Simpel, aber die ganze Welt kommt nicht hinter das Geheimnis.«

Seine Fans mögen seine Haare vielleicht über alles lieben, aber Justin würde es auch nicht stören, wenn er gar keine auf dem Kopf hätte. Er hat sogar schon überlegt, sie sich komplett abzurasieren. Justin möchte eigentlich gern eine neue Frisur haben, hält es aber für besser, den jetzigen Style noch ein wenig beizubehalten.

Manche Leute vergleichen Justin spaßes-halber mit Samson aus der Bibel, dessen Kraft allein in seinen Haaren lag. Nachdem ihm seine Haare abgeschnitten wurden, ver-lor er all seine Kraft. Bei einem Interview auf MTV wurde Justins Freundin Se-lena Gomez gefragt, ob sie daran glaubt, dass Justins Kraft auch in seinen Haaren läge. Sie ant-wortete: »Nein, ich glaube nicht, dass es an den Haaren liegt ... Er hat es einfach drauf. Er weiß, was er tut. Er ist ein sehr süßer Junge und er liebt seine Fans. Das ist wohl der Grund, warum er so ist, wie er ist.«

Megan Fox ist ebenfalls ein großer Fan von Justins Haaren und bekannte gegenüber *E! News*: »Er hat mehr Talent in seinem Pony als ich in meinem ganzen Körper.«

Justins Frisur sieht echt klasse aus und benötigt nur wenig Pfle-

SCHON GEWUSST?

Justin hatte nicht immer diese coole Frisur. Bevor er ein weltweiter Super-star wurde, hatte er seine Haare kurz ge-schoren. Seine Mom filmte ihn dabei, wie er Chris Browns Song »With You« sang und postete den Clip bei YouTube. Damals sah seine Frisur nicht so toll aus, aber den Leuten schien das egal zu sein. Sie liebten seine Performance und der Clip wurde zu Justins bis dahin größtem Erfolg – mit einer Million Views! Mittlerweile wurden all seine Homevideos mehrere Millionen Mal angesehen, aber der »With You«-Clip ist etwas ganz Besonderes, weil er der erste Meilenstein in seiner Karriere war.

ge. Nach dem Duschen fönt er die Haare und schüttelt dabei einfach nur den Kopf – fertig! Er braucht sie nicht mit Gel oder anderen Produkten zu stylen.

In Justins Heimatstadt Stratford, in der Gegend, wo er früher mit seinen Kumpels abhing, gibt es einen bestimmten Friseursalon. Wöchentlich kommen dort etwa 30 Jungen hin und wollen die Haare geschnitten bekommen wie Justin, weil sie seine Frisur so cool finden.

HIGHLIGHTS

Zu den Highlights in Justins bisheriger Karriere gehören sicherlich der Auftritt als Laudator bei den Grammys, das Treffen mit Barack Obama und das erste Nummer-eins-Album. 2010 war ein fantastisches Jahr für den jungen Star und es sieht so aus, als würde 2011 noch besser werden!

Ein weiteres Highlight war sicherlich der Moment, als Justin zum ersten Mal einen seiner Songs im Radio hörte. Er saß gerade mit seiner Mom im Auto und wechselte den Sender, als er plötzlich seine Stimme hörte. Seine Mutter forderte ihn auf, das Radio lauter zu stellen, und sie hörten sich seinen Song ein paar Sekunden lang an. Dann wechselte Justin wieder den Sender. Mittlerweile muss er sich wohl unzählige Male im Radio gehört haben, sogar auch in anderen Ländern.

Justin ist so froh und glücklich, ein solches Leben führen zu dürfen, und er würde es gegen nichts in der Welt eintauschen wollen!

HEIMAT

Justin stammt aus Stratford, Ontario, in Kanada. Er gehörte nie zu den Kids, die von Ruhm und Reichtum träumen – als ganz gewöhnlicher Junge aus einer kanadischen Kleinstadt kam er gar nicht auf die Idee. In einem Interview mit der Zeitschrift *People*

sagte er: »Stratford hatte keine Berühmtheiten ... Das war ein unmöglicher Traum, den man gar nicht zu träumen gewagt hätte.«

Justins Heimat wurde bereits einmal als »Schönste Stadt der Welt« ausgezeichnet, was nicht verwunderlich ist. Sie hat viel Kulturelles zu bieten und auf der stadteigenen Homepage heißt es: »Wir sind eine charmante viktorianische Stadt inmitten einer idyllischen Landschaft, mit dem Auto in nur wenigen Stunden von Toronto und den USA aus erreichbar. Stratford ist international bekannt als eine der größten Kunst- und Kulturstädte Nordamerikas.«

Justins Meinung über seine Stadt war eine ganz andere, als er dort wohnte, aber das lag wohl daran, dass er noch ein kleiner Junge war. Er interessierte sich nicht für das alljährliche Shakespeare-Festival und die Verbindung zu der britischen Stadt Stratford-upon-Avon, Shakespeares Geburtsort. Ihn interessierten eher die Touristen, denen er als Straßenmusikant etwas vorspielte und die ihm etwas Geld in den Gitarrenkoffer warfen.

Justin wuchs bei seiner Mom auf, aber er verbrachte auch viel Zeit im Haus seiner Großeltern. Die Familie hatte zwar nicht viel Geld, aber Justin bekam immer genug Liebe. Patties Apartment war klein, aber immerhin war es ein Zuhause. Justins Mutter musste hart arbeiten, um die Miete zahlen zu können, und Justin ist ihr bis heute dankbar, dass sie immer dafür gesorgt hat, dass er ein Dach über dem Kopf hatte und nicht hungern musste. Heute dürfte er froh sein, dass seine Mutter und er sich nie wieder Sorgen ums Geld machen müssen.

Wenn Justin an die Zeit zurückdenkt, als seine Mom zwei Jobs hatte, und sich erinnert, wie ihr Zuhause damals aussah, behauptet er immer, dass er sich gar nicht so arm fühlte, wie die Presse es gern darstellt. »Ein paar Leute haben das falsch verstanden«, sagte er gegenüber *Macleans.ca*. »Ich war nicht arm. Ich würde definitiv nicht be-

Justin hat sogar schon mal US-Präsident Obama persönlich getroffen und sich mit ihm unterhalten. »Das war ein unglaubliches Erlebnis und eine große Ehre«, sagte der Sänger.

haupten, dass wir früher nicht genug Geld gehabt hätten. Es war halt so, dass ich mir nicht ständig neue Klamotten leisten konnte. Aber ich hatte ein Dach über dem Kopf. Ich hatte großes Glück. Ich hatte meine Großeltern, die ich oft besucht habe, sie waren echt gut zu mir. Ich hatte also als Kind alles, was ich brauchte.«

Nachdem Justin einen Vertrag mit der Def Jam Music Group unterzeichnet hatte, fiel es ihm sehr schwer, Stratford und Kanada den Rücken zu kehren. Nur zu gern wäre er in seiner Heimat geblieben, aber er musste da hinziehen, wo ein Aufnahmestudio und die wichtigen Medien waren – nach Atlanta. Die amerikanische Stadt lag 689 Meilen von seinem Zuhause entfernt – definitiv zu weit zum Pendeln!

Er und Pattie mussten ihr Leben in Stratford aufgeben und sich von ihrer Familie und ihren Freunden verabschieden. Aber so traurig sie waren – es war auch sehr aufregend! Sie konnten noch gar nicht glauben, dass ihre Träume schon bald wahr werden würden.

In Atlanta angekommen, fingen Justin und Pattie sofort an, sich einzuleben. Sie lernten neue Leute kennen und erkundeten gemeinsam ihre neue Umgebung. Atlanta ist eine Großstadt und es muss schon aufregend gewesen sein, von einer Stadt mit 32.000 Einwohnern wie Stratford in eine Riesenmetropole zu ziehen.

Heute hat Justin eigentlich gar kein richtiges Zuhause. Er ist so viel auf Reisen, dass er sich nur selten in Atlanta aufhält und viel öfter im Tourbus oder in Hotelzimmern übernachtet – er lebt sozusagen aus dem Koffer. Aber er ist nicht unglücklich darüber, denn seine Mom begleitet ihn schließlich überallhin.

Justins größter Wunsch war schon immer, genug Geld zu verdienen, um seiner Mom ein Haus kaufen zu können. Wo Pattie sich niederlassen wird, ist ungewiss – in Stratford, Atlanta oder irgendwo in wärmeren Regionen, wo sie die Sonne genießen kann. Mittlerweile könnte Justin ihr einige Häuser kaufen – aber erst muss er 18 werden, damit er über sein Geld selbst verfügen kann.

Die Bewohner Stratfords lieben ihren prominenten Mitbürger so sehr, dass sie eine spezielle Karte angefertigt haben, auf der man die Orte finden kann, an denen Justin sich früher aufgehalten hat. Die Karte findet man auf *www.welcometostratford.com* oder man gibt bei der Google-Suche »Justin Bieber map« ein.

Besondere Orte für Justin in Stratford:
- Das Avon Theatre. – Hier verdiente er sich als Straßenmusikant sein erstes Geld.
- Stratford Skate Park. – Justin hat hier viel Zeit mit seinen Freunden verbracht.
- William Allman Memorial Arena. – Hier hat Justin Eishockey gespielt.

- Kiwanis Community Centre – der Austragungsort von *Stratford Star*.
- Jeanne Sauvé Catholic School, Stratford North-Western Public School and Stratford North-Western Secondary School. – Hier ging Justin zur Schule.
- The Pour House (früher Sid's Pub genannt). – Justin hat hier mit seinen Freunden oft Billard gespielt.
- Long & McQuade Music Shop – sein Lieblingsmusikladen.
- Cooper Standard Soccer Fields – der Fußballplatz der Stratford Strikers, bei denen Justin gespielt hat.
- Madelyn's Diner – Patties Lieblingsrestaurant. Die Familie Bieber war hier oft zu Gast.
- Scoopers. – Nach einem Fußballmatch hat Justin hier gern Erdbeer-Banane-Joghurt-Eis gegessen.
- City Hall. – Justin nahm an einem Konzert zur Veröffentlichung einer Charity-CD teil, bei dem er den Song *Set A Place at Your Table* sang (den Clip kann man sich auf YouTube ansehen).
- Features Restaurant. – Justin hat hier gern gefrühstückt.

Wer die Gelegenheit hat, Stratford zu besuchen, sollte sich diese Orte ansehen. Wer weiß, vielleicht trifft man zufälligerweise auf Justins Freunde Chaz oder Ryan oder auf ein Mitglied der Familie Bieber.

Justin stammt aus einem Ort, den er »die kleinste Stadt der Welt« nennt, und trotzdem hat er es geschafft, ein Megastar zu werden. Deshalb kann jeder, egal, wie groß oder klein seine oder ihre Heimatstadt ist, sich seine Träume erfüllen.

STEHT FÜR

INSPIRATION

Justin hat sich von vielen Leuten inspirieren lassen, auch wenn er noch relativ jung ist. Als Kind waren seine musikalischen Helden Michael Jackson, Prince, Boyz II Men und Stevie Wonder. Justin bewunderte deren Talent und ihre musikalischen Leistungen. So hat Michael Jackson unglaubliche 13 Grammys gewonnen und Justin würde nur zu gern in seine Fußstapfen treten.

In einem Interview mit *Vanity Fair* sprach Justin über Musiker, die ihm wichtig sind. »Michael Jackson, Boys II Men und dunkelhäutige Musiker waren definitiv eine Inspiration für mich – darauf stehe ich. Es geht nicht um die Hautfarbe oder so. Ich mag ihre Stimmen und wie sie die Leute mitreißen. ... Michael [Jackson] konnte Leute aus allen Altersgruppen erreichen, er hat sich niemals Grenzen gesetzt ... Er war so groß, jeder liebte ihn. Und das ist mein Ziel – ich will den Menschen Freude bereiten, sie inspirieren und ich will, dass sie mich anfeuern.«

Als Baby mochte es Justin besonders gern, wenn Pattie das Radio einschaltete. Schon damals hörte er gebannt zu und wollte am liebsten mitsingen. Später trällerte er zu Songs von Michael Jackson und spielte dazu auf seinem Kinderschlagzeug – das hatte er von seiner Mom bekommen, als er zwei Jahre alt war.

Damals hörte Justin sich auch gern die Band in der Kirche an und durch diese wurde er schließlich ermutigt, selbst Musik zu machen. Mit fünf war Justin schon recht gut

und es dauerte nicht mehr lange, bis er ein eigenes Drumset bekam. Er ließ sich von Musikern, die er kannte, und von Sängern aus dem Radio inspirieren. Auch seine Familie spielte bei seiner musikalischen Entwicklung eine große Rolle – vor allem sein Großvater und seine Mom.

Als Michael Jackson im Juni 2009 plötzlich verstarb, war Justin total geschockt. Der Sänger ist für ihn immer noch ein großes Vorbild, wie Jackson will auch Justin so viel Gutes tun wie möglich. Bei den ersten Konzerten von Justins *My World Tour* zollte der junge Star seinem großen Vorbild einen musikalischen Tribut.

Wie viele Menschen er selbst Tag für Tag mit seiner Musik und seinen Taten inspiriert, wird Justin vermutlich gar nicht wissen. Die Welt wäre aber ein besserer Ort, wenn es mehr Menschen wie ihn gäbe, die auch an andere und nicht immer nur an sich selbst denken.

STEHT FÜR

JASMINE VILLEGAS

Die talentierte Sängerin und Schauspielerin war das Mädchen in Justins Video für *Baby*, sie hatte außerdem in Kanye Wests *Jesus Walks* und Frankie J.'s *How to Deal* mitgespielt. Außerdem konnte man sie kurz in dem Video zu *Eenie Meenie* von Justin und Sean Kingston sehen. Mittlerweile wirkte sie auch in einigen Fernsehserien wie *Raven blickt durch*, *What's Up, Dad?* und *The Nine* mit.

In Interviews hat Justin erklärt, dass er die Mädels für seine Videos gern selbst auswählt. Man kann also annehmen, dass er auch Jasmine Villegas persönlich zu der Rolle in seinen Clips verholfen hat. Sie ist unglaub-

lich hübsch und ein ganz liebenswürdiger Mensch.

Seit dem *Baby*-Video sind Justin und Jasmine sehr gut befreundet, was dazu führte, dass nicht wenige eine Zeit lang vermuteten, dass die beiden ein Paar seien. Sie ist ein Jahr älter als Justin und hat den jungen Star schon als Special Guest auf Tour begleitet. 2010 hat sie einen Plattenvertrag unterschrieben und im Oktober desselben Jahres ihre erste Single *All These Boys* veröffentlicht.

Bei einem Interview mit *Bop and Tiger Beat* wurde Jasmine gebeten, irgendetwas Neues über Justin zu verraten, das konnte sie aber nicht. Sie sagte: »Er ist einfach so normal, aber ich glaube, das ist keine Neuigkeit. Es gibt nichts, das ich über ihn verraten könnte, was andere nicht schon wissen, weil Justin sich seinen Fans und Freunden gegenüber nicht verstellt ... Das ist echt das Besondere an ihm. Er verstellt sich absolut nicht. Er sagt einfach: ›Ich bin Justin, so bin ich.‹«

K

STEHT FÜR

KANADA

Justin ist stolzer Kanadier – und das soll auch die ganze Welt wissen!

Er liebt alles, was mit seinem Land zu tun hat, von Eishockey bis zum Ahornsirup. Außerdem unterstützt er seine kanadischen Musikerkollegen, wo er nur kann. Auch wenn Justin zurzeit rund um die Welt reist und in den USA wohnt, wird Kanada immer sein Zu-

hause bleiben. Und er versucht, sein Heimatland so oft zu besuchen, wie es nur geht.

Als Kanadier ist Justin an Schnee gewöhnt, da es dort sehr häufig strenge Winter gibt. Als er in Großbritannien war und dort ein paar Zentimeter Schnee das ganze Land beinahe zum Stillstand gebracht hatten, musste Justin schmunzeln. Gegenüber *Digital Spy* sagte er: »Ihr Engländer verhaltet euch so, als wäre es der Weltuntergang – alles wird stillgelegt und die U-Bahn fährt nicht mehr. In Kanada würden wir uns wundern, wenn es nur so ein bisschen schneien würde. Bei uns müssten mindestens drei Meter Schnee liegen, um schulfrei zu bekommen.«

Für diejenigen, die im Schnee stecken geblieben waren, hatte Justin folgenden Tipp: »Ihr tragt nicht die richtigen Klamotten. Ihr müsst Mützen, Schals und Handschuhe anziehen ... und lange Unterhosen! Wenn es kalt ist, trage ich immer lange Unterhosen. Ich weiß, die sind gar nicht cool, aber ich friere nicht gern, ich habe es lieber etwas wärmer.«

KÜSSEN

Justin bekam seinen ersten Kuss mit 13, aber den Namen des glücklichen Mädchens will er nicht verraten. Er ist auch nicht gerade stolz darauf, wie der Kuss zustande gekommen war. Gegenüber *958 Capital FM* gestand er: »Das erste Mal, dass ich mit einem Mädchen geknutscht habe, war bei einer Art Schulball und im Grunde war es für meinen ersten

Kuss echt schlecht ... Ich hatte mit meinen Freunden vereinbart: ›Der Erste, der ein Mädchen küsst, bekommt zehn Dollar‹. Meine Jungs wollten aber kein Mädchen küssen, sie sagten: ›Justin, du solltest es selbst tun!‹ Irgendwann tanzte ich mit einem Mädchen zu einem langsamen Song und dann habe ich es einfach getan. Und sie hat ohne Weiteres mitgemacht. Damals war ich nur ein gewöhnlicher Junge, der Eishockey gespielt hat, daher konnte ich froh sein, dass sie meinen Kuss erwidert hat.«

In einem anderen Interview mit *Seventeen* sagte er, dass er das Mädchen, von dem er seinen ersten Kuss bekommen hatte, eine Zeit lang gedatet hätte. Wahrscheinlich wollte er in dem Interview mit *958 Capital* nur ihre Identität verbergen, um sie zu schützen. Seitdem hat Justin schon mehrere Girls ge-

küsst, aber er hat noch nicht »die Richtige« gefunden. Im September 2010 wurde er von Paparazzi fotografiert, als er auf dem Rücksitz eines Autos mit einer unbekannten Schönen knutschte. Viele Websites und Zeitschriften berichteten damals, dass es sich um Jasmine Villegas gehandelt habe, aber Justin kommentierte diese Berichte nicht. Bei einem Interview mit der Talkshowmoderatorin Barbara Walters sagte er zu diesem Vorfall nur: »Ich wusste nicht mal, dass jemand uns fotografiert hat. Es ist einfach passiert und daran ist doch auch gar nichts komisch, oder? Ich würde sagen, jeder 16-Jährige küsst mal ein Mädchen. Das ist nicht ungewöhnlich. Ich habe sie einfach nur geküsst, mehr nicht.«

Als er gefragt wurde, ob er das Mädchen daten würde, sagte er: »Nein, es war nur ein Kuss.«

L
STEHT FÜR

L.A. REID

L.A. Reid ist einer der wichtigsten Männer der Musikbranche. Er ist der Boss der Def Jam Music Group und war derjenige, der mit Usher einen Plattenvertrag abschloss, als dieser noch ein unbekannter junger Sänger war. Im April 2008 hatte Usher ein Treffen mit L.A. Reid und Justin arrangiert, bei dem auch Justins Mutter Pattie und sein Manager Scooter Braun anwesend waren.

Justin hatte verstanden, dass er L.A. Reid gleich beim ersten Treffen imponieren musste, damit L.A., wenn es gut laufen würde, einem zweiten Treffen zustimmen würde. Gegenüber *Vanity Fair* sagte Usher: »Ich wusste, was L.A. tun würde – dasselbe, was er auch mit mir getan hat. Nach dem Motto: Lasst uns ein paar Mitarbeiterinnen der Firma dazuholen und sehen, wie er auf Frauen reagiert.« Bestimmt hatte Usher Justin auf diese Methode vorbereitet, sodass der Junge wusste, was ihn erwartete.

Als Justin vorsingen sollte, gab er alles – aber er war sich zunächst nicht sicher, ob es gereicht hatte. Erst einmal flogen er und seine Mutter zurück nach Stratford, wo sie auf Antwort von Def Jam warten mussten. Als Justin schließlich den ersehnten Anruf bekam und man ihm mitteilte, dass man ihn unter Vertrag nehmen wollte, war er überglücklich. Am 13. April 2008 unterzeichnete er offiziell den Vertrag mit der Def Jam Music Group.

L.A. Reid erkannte in Justin ein wenig von Michael Jackson, einen kleinen Teil der Beatles und auch ein bisschen Elvis. Justins Fans sehen das genauso: Sie glauben, ihr Liebling hat das Zeug, bis zu seinem Lebensende großartige Songs zu veröffentlichen.

In einem Interview mit *azcentral.com* sagte Reid: »Ich halte ihn für einen faszinierenden Jungen, er ist charmant und hat einen großartigen Charakter.« Dass Justin nicht durch eine Fernsehshow entdeckt wurde, sondern einfach ein gewöhnlicher Junge aus Stratford war, fand Reid nicht hinderlich. »Ich habe nie von Sprungbrettern wie Castingshows oder von Disney produzierte Teeniesendungen profitiert. Kann sein, dass manche das für altmodisch halten, aber wir bauen Künstler auf traditionelle Weise auf. Auch wenn die Kids aus dem Fernsehen oftmals sehr talentiert sind, sind sie in erster Linie Fernsehstars und die Musik ist zweitrangig. Bei Justin steht die Musik immer an erster Stelle.«

STEHT FÜR

MÄDCHEN

Vor Interviews oder Auftritten ist Justin gar nicht nervös, weil er diese Dinge schon so oft gemacht hat. Aber wenn er ein Mädchen sieht, das ihm gefällt, flattern ihm doch schon mal die Nerven! Es muss hart für ihn sein, dass er nie lange genug an einem Ort bleiben kann, um sich ausgiebig mit einem Mädchen zu unterhalten und es kennenzulernen. Die meiste Zeit verbringt er in seinem Tourbus und fährt von einer Stadt zur anderen.

Für ihn wäre es wohl am einfachsten, ein Promi-Girl zu daten, das verstehen würde, wie stressig das Leben als Künstler ist. Außerdem hätte es wahrscheinlich mehr Erfahrung, was Award-Shows und große Events betrifft.

Justins Fans sind der Meinung, dass ein Mädchen, mit dem er ausgeht, seinen starken Glauben respektieren muss, da er ihm so wichtig ist. Außerdem müsste dieses Mädchen auch erst einmal mit Justins Mom klarkommen, weil die beiden sich so nahestehen. Eifersucht dürfte auch keine Rolle spielen, weil Justin immer die Aufmerksamkeit zahlreicher weiblicher Fans auf sich ziehen wird, egal, ob er es will oder nicht.

In der Vergangenheit hat man Justin mit Miley Cyrus und Taylor Swift in Verbindung gebracht, aber beide sind mit ihm einfach nur gut befreundet. Die Gerüchte sind aufgekommen, weil der junge Sänger sich mit beiden gern zum Essen getroffen hat – aber mehr passierte nicht! So sagt Justin beispiels-weise über Taylor: »Sie ist ein wenig zu alt für mich – und definitiv zu groß!« Und das einzige Mitglied der Familie Cyrus, das in Justin verknallt ist, ist Mileys kleine Schwester Noah.

Justins »heimliche« große Liebe ist Beyoncé Knowles. Er konnte es gar nicht fassen, als die Sängerin den Rapper Jay-Z heiratete. Seit fast zehn Jahren ist Justin in sie »verknallt« und hat ihr auch schon fette Komplimente zu ihrem Aussehen gemacht, als beide sich bei den Grammy Awards 2010 über den Weg gelaufen sind. Damals hat Beyoncé ihm sogar einen Kuss gegeben!

MERCHANDISING

Justins Fans dürften sich bereits mit einigem aus dem Merchandising eingedeckt haben. Man kann buchstäblich Hunderte von Dingen kaufen, auf denen sein Gesicht abgebildet ist – manche sind offizielles Merchandising, andere inoffizielles.

So hat Justin zum Beispiel ein Parfüm für Jungen und Mädchen namens »My World« herausgebracht, aber man kann es nicht in Flakons erwerben. Das gibt es nur als speziell hergestellte Erkennungsmarken, die den Duft etwa zwölf Monate lang halten. Sie sind in verschiedenen Farben erhältlich, was die Fans dazu animiert, die Marken zu sammeln und untereinander zu tauschen. Biher gibt es die Duftmarken aber nur für amerikanische Fans.

Seit Juni 2011 können weibliche Fans aber auch ein Parfüm in gewöhnlichen Flakons kaufen, es trägt den geheimnisvollen Namen

zernd und die Fans sind von dem Nagellack hellauf begeistert, da er so unglaublich toll aussieht und sich besser als andere Lacke glatt auftragen lässt. Mit dem Kauf eines Nagellacks unterstützen die Fans auch das *Pencils of Promise*-Projekt, da Justin mit dem Hersteller vereinbart hat, einen Teil der Einkünfte an seine Lieblingshilfsorganisation zu spenden. Auch den Nagellack gibt es aber bisher nur in den USA zu kaufen.

Auf Justins offizieller Homepage *www. justinbieber.com* kann man zahlreiche weitere Merchandise-Produkte bestellen wie Tassen, Kapuzenpullis, T-Shirts, Westen, Pyjamas, Handycover, Halsketten, Notizblöcke, Geschenkanhänger, sein offizielles Buch, Kalender und sogar Kissen.

MOBBING

Auch Justin musste schon die Erfahrung machen, von Leuten gemobbt zu werden, die neidisch auf sein Talent sind. Als er noch zur Schule ging, hatten einige ihren Spaß daran, den Jungen fertigzumachen, weil er zu klein für sein Alter war. Justin würde niemals jemanden mobben, aber er lässt sich definitiv auch nicht alles gefallen. So lässt er es niemals durchgehen, wenn jemand schlecht über seine Familie redet.

Aufgrund seiner frühen Erfahrungen wollte er anderen Mobbingopfern helfen, als er den Durchbruch als Sänger geschafft hatte. Deshalb schloss er sich einem Projekt namens *It Gets Better* an. Dabei handelt es sich um eine Kampagne gegen Mobbing und Justin unterstützte das Projekt, indem er eine besondere Videobotschaft aufnahm. In diesem Clip fordert er Mobbingopfer auf, nicht zu schweigen und sich anderen anzuvertrauen, und er sagt deutlich, wie uncool er Mobbing findet. Er bittet: »Wenn du Zeuge wirst, sieh zu, dass du eingreifst und dem Opfer hilfst.« Dass Justin sich auch an die Zeugen wendete, war wichtig, denn normalerweise werden

»Someday«. Gegenüber *People* erklärte Justin, was seinen Duft von denen anderer Promis unterscheidet: »Die meisten männlichen Promis machen Parfüms für Männer. Dass ich einen Duft für Frauen geschaffen habe, ist mal was anderes, ich glaube, dass er sich gut verkaufen wird.«

Dass Justin bisher noch keinen männlichen Duft auf den Markt gebracht hat, bedeutet nicht, dass er es gar nicht tun wird. Seine Fanbasis mag zwar größtenteils weiblich sein, aber es gibt auch genügend Jungen, die auf Justins Style und seine Musik stehen.

Neben der Parfümreihe gibt es von Justin auch noch einen speziellen Nagellack namens »One Less Lonely Girl«, der in den USA kurz vor Weihnachten 2010 herausgebracht wurde. Fans können wählen zwischen *Prized Possession Purple* (dunkellila), *One Less Lonely Glitter* (lavendelfarben), *My Lifesaver* (mintgrün), *Me + Blue* (dunkelblau), *Me The First Dance* (silbern), *Step 2 the Beat of My Heart* (klar, mit kleinen Metallsternen und Glitter) sowie *OMB!* (rot). Jede Sorte ist stark glit-

diese in einer Anti-Mobbing-Kampagne nicht angesprochen – gewöhnlich bekommen einzig und allein der Mobber und das Opfer die Aufmerksamkeit.

Leider wird der arme Justin selbst aber immer noch jeden Tag gemobbt – von Klatschjournalisten, Bloggern und in Internetforen. Diese Leute schreiben Dinge, mit denen sie Justin und seine Fans provozieren wollen. Zu diesem Thema sagte Justin in der *Ellen DeGeneres Show*: »Es gibt wirklich viele Mobber, das nimmt irgendwie gar kein Ende … Ich würde sagen, jeder macht mal diese Erfahrung … selbst ich. Auch auf meiner YouTube-Seite hinterlassen viele Hasser eine Nachricht – und sie schreiben teilweise echt verrücktes Zeug.«

MUTTER

Justins Mom heißt Pattie Mallette. Als sie Justin bekam, war sie 18 Jahre alt. Nach der Scheidung von Justins Vater Jeremy hat Pattie wieder ihren Geburtsnamen Mallette angenommen. Pattie ist sehr religiös und hat Justin im christlichen Glauben großgezogen – schon in sehr jungen Jahren hat er viel über Gott und Jesus erfahren.

Wenn Justin zu frech wird, hat seine Mom kein Problem damit, ihn in seine Schranken zu weisen. Bei solchen Gelegenheiten nimmt sie ihm auch schon mal den Computer oder das Handy weg. In diesem Punkt hält Justin seine Mom für ziemlich gnadenlos. Die beiden verstehen sich sehr gut und streiten sich nur über Kleinigkeiten – über Orte, die er besuchen will, oder andere recht banale Dinge. Wahrscheinlich würden sie sich nie streiten, wenn sie nicht jeden einzelnen Tag so viel Zeit miteinander verbringen würden.

Pattie ist der Meinung, dass Justin zu schnell erwachsen wird, aber sie weiß auch, dass wohl jede Mutter dieses Gefühl hat.

In ihrer Jugend hatte Pattie es nicht leicht, denn seitdem sie fünf war, wurde sie bis zum Alter von zehn Jahren regelmäßig missbraucht. Ihr leiblicher Vater verließ die Familie, als das Mädchen drei war, und dann starb auch noch ihre Schwester. Die arme Pattie hatte wirklich schwierige Zeiten zu bestehen. Ihre Gefühle behielt sie immer für sich, und als sie ins Teeniealter kam, fing sie an zu trinken und Drogen zu nehmen, um all die schrecklichen Dinge zu vergessen. Es kam sogar vor, dass sie betrunken in der Schule erschien. Mit 15 beschloss sie, ihr Zuhause zu verlassen und mit vier anderen Typen in eine Wohngemeinschaft zu ziehen.

In der Fernsehsendung *The Full Circle* gestand Pattie, dass sie sich mit 17 umbringen wollte, indem sie sich vor einen fahrenden LKW warf. Sie wollte einfach nur, dass alles vorbei sein sollte. Zum Glück konnte der Fahrer rechtzeitig bremsen und ausweichen. Wegen ihres Selbstmordversuchs wurde Pattie in eine Nervenklinik eingewiesen. In

Unzertrennlich: Für Justin gibt es keinen wichtigeren Menschen als seine Mom Pattie, die immer für ihn da ist und ihn rund um die Welt begleitet.

da hat dieser Mann Gott offensichtlich falsch verstanden – falls es ihn überhaupt gibt. Ich bin bestimmt keine Rose, ich lebe doch ein Leben in Sünde ... Ich klaue, habe jede Nacht einen anderen im Bett, nehme Drogen und trinke ... Gott hält mich ganz sicher nicht für eine Rose.«

Dennoch ließ Pattie sich weiterhin von dem Mann besuchen, denn er brachte ihr immer Fastfood mit. Zuerst interessierten sie dieser Mann und sein Anliegen eigentlich gar nicht, aber eines Tages beschloss sie, Gott eine Chance zu geben. Sie betete und lud Jesus in ihr Leben ein und seitdem hat sie nie wieder zurückgeblickt. Während sie betete, hatte sie eine Vision: Sie sah, wie ihr Herz geöffnet wurde und »tonnenweise hell schimmerndes Licht in mein Herz geschüttet wurde ... und mir wurde klar, dass es Liebe war«.

Justin weiß über die Vergangenheit seiner Mutter recht gut Bescheid und sagte gegenüber dem *Guardian*: »Meine Mom hatte echt harte Zeiten durchzumachen. Sie ist ein guter Mensch, aber sie hat viele Fehler gemacht. Sie trank und sie hat wahrscheinlich auch Drogen und anderes Zeug genommen. Sie hat mir davon erzählt, weil sie der Meinung ist, dass sie genug schlimme Sachen für uns beide zusammen gemacht hat.«

Dass Justin nie das Licht der Welt erblickt hätte, wenn Pattie von dem LKW überfahren worden wäre, ist schon ein bestürzender Gedanke. Aber Justins Mom hat ihr Leben letztlich absolut in den Griff bekommen.

Bei einem Interview in der *Oprah Winfrey Show* wurde Justin gefragt, was er an seiner Mom am liebsten mag. »Ich mag es, dass sie eine echt starke Frau ist«, antwortete er. »Seit dem ersten Tag ist sie für mich da und wollte nur, dass ich ein guter Mensch werde – so gut es nur geht. Das Geld und der Erfolg sind ihr egal, sie will nur meine Mom sein.«

Auf Twitter schreibt Pattie ständig, wie stolz sie auf ihren Sohn ist. So beispielsweise: »Hab dich lieb, Justin, du bist der beste

demselben Fernsehinterview erzählte sie: »Zunächst kam mich damals niemand besuchen. Da wurde mir bewusst, dass ich gar keine Freunde hatte, ich hatte nur sehr oft in einem Jugendcenter herumgegangen, dessen Leiter ein sehr christlich geprägter Mann war ... und der kam mich letztendlich im Krankenhaus besuchen und brachte mir eine Rose mit.« Pattie nahm die Rose an, maß ihr aber keine Bedeutung bei, da es üblich ist, dass man als Patient von einem Besucher Blumen geschenkt bekommt. Aber was der Mann dann zu ihr sagte, änderte ihre Haltung der Rose und dem Leben gegenüber. »Er sagte: ›Ich möchte dir nur mitteilen, dass Gott mich angewiesen hat, dir diese Rose zu bringen‹«, erzählte Pattie. »›Er will, dass ich dir sage, dass er dich wie diese Rose betrachtet.‹ Und ich dachte: ›Herrjeh,

Sohn, den es gibt … Ich bin so froh, dass du so brav und so ein Engel bist. … Mein Kleiner, du verdienst das Beste!«

Im Februar 2011 schrieb sie: »Komme gerade von der ersten Aufführung von *Never Say Never 3D*. Der beste Film aller Zeiten! Bin so stolz! Nein, es ist kein Konzertfilm, sondern die inspirierende Lebensgeschichte eines noch jungen Künstlers.«

Wer Pattie auf Twitter folgen möchte, kann dies über twitter.com/studiomama tun. Pattie schreibt ständig über Justin und berichtet, was sie gerade tun, und sie postet dann und wann auch mal inspirierende Bibelzitate.

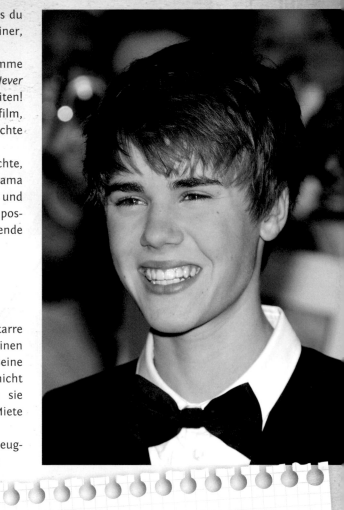

MUSIK

Als Kind hat Justin sich selbst Klavier, Gitarre und Schlagzeug beigebracht. Für den kleinen Jungen war das richtig harte Arbeit. Seine Mom hätte sich Musikunterricht gar nicht leisten können – schließlich musste sie schon zwei Jobs annehmen, um die Miete zahlen und Essen kaufen zu können.

Mit zwei hatte Justin mit dem Schlagzeugspielen begonnen und mit fünf lernte er Klavierspielen. Er konnte zwar keine Noten lesen, aber das ständige Üben führte dazu, dass er bald sehr gut spielte. Justin liebte das Kinderschlagzeug, das seine Mutter ihm gekauft hatte, aber schon bald war es zu klein für ihn und er brauchte ein größeres Set. Patties Freunde in der Kirchengemeinde und ihre Nachbarn hatten Justins Talent erkannt und sammelten Spenden für ein großes Drum Kit für den kleinen Jungen. Sie organisierten ein spezielles Benefizkonzert mit dem Titel »The Justin Bieber Benefit Concert«, bei dem verschiedene Bands und Sänger aus der Umgebung auftraten. Auf dem Flyer für das Event stand: »Das Talent

SCHON GEWUSST?

Niemand aus Justins Familie hatte jemals Erfolg als Musiker oder war ein professioneller Performer, aber alle Familienmitglieder sind sehr musikalisch veranlagt. Justins Großmutter ist eine begnadete Pianistin, Songwriterin und Sängerin. Sein Dad spielt Gitarre und singt und auch seine Mom kann sehr gut singen. Natürlich spielt Justin, was das Singen angeht, in einer ganz anderen Liga! In einem seiner ersten Videos auf YouTube sang Justin einen Song, den seine Grandma geschrieben hatte.

des achtjährigen Justin Bieber kann nur als außergewöhnlich beschrieben werden. Deshalb hat sich das *Building Dreams Team* mal wieder zusammengefunden für ein weiteres Schlagzeug-Benefizkonzert. Alle Einnahmen aus diesem Event werden direkt an Justin gehen, damit er sich ein Drum Kit kaufen kann. Besonderer Dank gilt allen Geschäften, Musikern und Freiwilligen aus Stratford, ohne die dieses Event nicht möglich gewesen wäre. Kommt und unterstützt uns!!! Zusammen können wir diesen Traum erfüllen.«

Justin trat mit einer Band namens Miles Beyond auf, das Publikum war begeistert. Sie jubelten und klatschten für den Jungen, der gerade erst acht Jahre alt war. Seine ganze Familie war allen Leuten so dankbar, die fünf Dollar Eintritt gezahlt und somit geholfen

hatten, dass Justin ein neues Schlagzeug bekam. Auf YouTube kann man einige Mitschnitte dieses Konzerts finden (man gebe bei der Suche einfach »kidrauhl« ein).

Im selben Jahr fing Justin an, auf der Gitarre herumzuklampfen, und nachdem er eine Zeit lang geübt hatte, war er richtig gut. Gegenüber *ABC News* sagte er: »Als ich mit dem Gitarrespielen anfing, hatte ich ein Instrument für Rechtshänder ... meine Mom hatte nur diese Gitarre im Haus. Ich schnappte sie mir und spielte sie wie eine Linkshänder-Gitarre. Meine Mom sagte mir, dass ich sie umdrehen solle, aber ich hielt sie weiterhin verkehrt rum und versuchte zu spielen, was natürlich schwierig war. Ich glaube, zu meinem Geburtstag habe ich dann von meiner Mom eine Linkshänder-Gitarre bekommen.«

Sein Dad Jeremy, der ein sehr talentierter Gitarrist ist, hat ihm mit der Gitarre sehr geholfen. Außerdem hat Justin auch noch Trompete gelernt.

In einem Interview mit MTV sprach Justin über sein musikalisches Talent und den Neid seiner Mitschüler: »Die Leute in der Schule wussten nicht mal, dass ich singen konnte, aber ich war auch im Sport sehr gut und einige waren daher neidisch auf mich – sie nannten mich immer einen Angeber. Aber ich habe versucht, es nicht allzu ernst zu nehmen.«

Die Kids in seiner Klasse müssen ziemlich geschockt gewesen sein, als Justin verkündete, dass er nach Atlanta ging, und weil er einen Plattenvertrag unterschrieben hatte. Sie dürften sich noch heute in den Allerwertesten treten, weil sie nicht netter zu Justin gewesen sind – vielleicht hätten Justin, Chaz und Ryan sie sonst zu fetten Promi-Events mitgenommen.

STEHT FÜR

Nick Jonas

Viele halten Nick Jonas für einen von Justins größten Rivalen. Beide sind höchst erfolgreiche Musikkünstler, sehr gläubige Christen und teilen sich eine Menge Freunde. Justins Freundin Miley Cyrus war früher mal mit Nick Jonas zusammen, heute versteht sie sich sehr gut mit Nick und Justin.

Das Gerücht, dass Nick und Justin Feinde seien, kam auf, nachdem Justins Fans und die Anhänger der Jonas Brothers einen Wortkrieg in Internetforen gestartet hatten. Ein Fan brauchte nur die Frage aufzuwerfen, wer der Bessere von beiden sei, und schon wurden endlose Listen mit Gründen gepostet, warum ihr Lieblingssänger der Beste ist und der andere nichts draufhat.

In einem Interview gaben Nick und seine Brüder zu, dass sie Justin den Spitznamen »Bustin Jieber« verpasst hätten. Darüber waren Justins Fans natürlich gar nicht erfreut! Aber nur wenige Tage später trafen die beiden Sänger bei einer Veranstaltung im Weißen Haus in Washington zusammen – beide waren zum sogenannten »Correspondents Dinner« eingeladen. Aber anstatt sich gegenseitig anzufeinden, plauderten Nick und Justin ein wenig und beschlossen schließlich, sich irgendwann mal wiederzutreffen. Auf Twitter schrieb Justin seinen Fans: »Nick und ich haben uns über das Bustin-Jieber-Ding unterhalten, alles gut. Netter Kerl. Freu mich schon auf ein Tischtennismatch mit Jick Nonas, haha.«

Nick antwortete: »Haha, vielleicht will George Glooney auch 'ne Runde Tischtennis spielen. War cool, dich heut Abend kennengelernt zu haben …«

Nick wurde auch ein Follower auf Justins Twitterseite, was zeigt, dass er Justin besser kennenlernen wollte. Auch die verfeindeten Fanlager beschlossen schließlich, das Kriegsbeil zu begraben. »Jick Nonas« wurde allerdings schnell zum geflügelten Wort auf Twitter, da Justins Botschaft von seinen und Nicks Fans auf der Microbloggerseite in Windeseile verbreitet wurde.

O

STEHT FÜR

OPRAH WINFREY

Dass Justin von Talkshowlegende Oprah Winfrey interviewt wurde, war etwas ganz Besonderes. Justin, seine Mom und auch der Rest der Familie Bieber waren total aufgeregt, weil die erfolgreichste Talkshowmoderatorin der Welt ihn in ihrer Sendung haben wollte. Oprah hatte normalerweise nur die Besten der Besten auf ihrem Studiosofa und viele Stars hätten alles dafür gegeben, einmal Gast in ihrer Show sein zu dürfen.

Justin war Teil einer Spezialausgabe der Talkshow mit dem Titel »World's Most Talented Kids« (Die talentiertesten Kids der Welt). Oprah sprach mit dem jungen Sänger über seinen Weg vom gewöhnlichen Schuljungen zum Weltstar. Sie wollte wissen, wie er mit dem Erfolg umgeht, was die aufregendste Erfahrung für ihn bisher war und

was er über seine Fans denkt. Außerdem ließ Justin bei dieser Sendung den Traum dreier Fans wahr werden, was sehr anrührend war: Die Simons-Schwestern wollten mit ihrem Vater ein Konzert von ihm besuchen, aber dann wurde der Vater in den Irak abberufen. Oprah und Justin wollten den Mädchen Trost spenden, deshalb gaben sie ihnen Sitzplätze in der ersten Reihe des Studios und sie durften zusammen mit Justin in seiner Limousine fahren. Oprah ließ den Vater der beiden über Skype zuschalten, der sagte: »Oprah, du hast mich gerade zum Vater des Jahres für die nächsten zehn Jahre gemacht!« Justin versprach ihm: »Wenn Sie zurückkommen, warten fünf Tickets auf Sie und Ihre Familie für eines meiner Konzerte.«

Nach der Aufzeichnung musste Justin das Erlebnis, soeben Gast in der *Oprah Winfrey Show* gewesen zu sein, erst einmal sacken

lassen, dann schrieb er auf Twitter: »Muss sagen, dass Oprah eine echt nette und bodenständige Frau ist. Nach der Sendung kam sie sogar noch zu den Gästen, um sich mit ihnen zu unterhalten. Sie ist unglaublich. Und sie hat meinen Grandpa zum Weinen gebracht. Er saß im Publikum und ihm liefen die Tränen wie Sturzbäche übers Gesicht.«

Justin äußerte sich auch auf Facebook über die Sendung: »Konnte gar nicht glauben, dass sie mich interviewt hat. Das war surreal. Danke an alle, die hart dafür gearbeitet haben, dass ich in der Sendung sein durfte. Das ist eine große Ehre und ein Leckerbissen für all meine Fans da draußen. Ihr seid unglaublich, danke! Von ganzem Herzen.«

Auch Pattie hatte das Bedürfnis, sich dazu zu äußern: »Bin so stolz!!! Mein Sohn war gerade bei Oprah! Justin war so charmant. ... Auch ich durfte kurz was sagen!! Echt aufregend!«

Wer die Sendung nicht gesehen hat, kann sie sich auf Oprahs offizieller Website *www.oprah.com* anschauen. Dort gibt es zusätzlich noch ein tolles Backstage-Interview mit Justin.

OSCAR-VERLEIHUNG

Justin ist zwar eher Sänger als Schauspieler, was aber kein Grund war, dass er nicht doch für einen Oscar nominiert wurde.

Manche Schauspieler warten ein Leben lang darauf, für den begehrtesten Filmpreis der Welt nominiert zu werden, und Justin hatte es bereits mit 16 Jahren geschafft. Offenbar gefiel der Song *Never Say Never* nicht nur Justins Fans, sondern auch der Oscar-Jury, denn er schaffte es in die Kategorie »Bester Song für einen Film«.

Viele Fans glauben, dass Justins Film *Never Say Never 3D* bei der Oscarverleihung 2012 für mehrere Kategorien nominiert werden wird. Es wäre schon fantastisch, wenn er einen oder zwei Oscars abstauben könnte, weil dann alle Bieber-Hasser ein für alle Mal verstummen würden.

Auf der Website *Bop and Tiger Beat* wurde eine Umfrage unter den Fans gestartet, ob Justin einen Oscar und einen Grammy gewinnen sollte, und sie beantworteten die Frage eindeutig mit »Ja!«.

Ein Fan schrieb: »Seid ihr verrückt? Natürlich sollte er beide gewinnen, der Junge ist unglaublich talentiert. Er hätte es vollkommen verdient!«

Ein anderer fügte hinzu: »Ich hoffe, Justin gewinnt, weil er es sich hart erarbeitet und es verdient hat. Er sorgt dafür, dass seine Musik die Fans glücklich macht, und deshalb ist er ein großartiger Künstler. Ich liebe ihn und weiß, dass er gewinnen wird. Ich liebe dich, Justin, für immer.«

P STEHT FÜR

PRÄSIDENT OBAMA

Präsident Obama ist der mächtigste Mann der Welt – und Justin hat ihn schon zweimal getroffen.

Das erste Mal geschah es am Sonntag, den 13. Dezember 2009, als Justin zu dem musikalischen Event »Christmas in Washington« eingeladen wurde. Dieses Charity-Special wird jährlich zu Weihnachten im amerikanischen Fernsehen ausgestrahlt. 2009 wirkten bei der Show unter anderem Usher, Mary J. Blige und Rob Thomas mit und alle Einnahmen wurden von der First Lady, Michelle Obama, als Spende an das National Children's Medical Center übergeben.

Justin schrieb an jenem Abend auf Twitter: »Bin gerade in Washington, DC, und werde nachher für Präsident Obama singen! Jawohl, ich bin sehr nervös. Wenn ich es vergeige, wird er mich bestimmt nach Kanada ausweisen, haha!«

Letzten Endes hatte er aber sehr viel Spaß und postete ein Foto von sich, Usher und dem Präsidentenpaar. Wer immer das Foto geschossen hatte, war wohl sehr aufgeregt – die Aufnahme ist leider sehr verwackelt.

Ein paar Tage später fügte er einem Clip seines Auftritts auf YouTube eine spezielle Botschaft an seine Fans hinzu: »Die vergangenen zwei Jahre waren einfach unglaublich … Mein Weg begann in meiner kleinen Heimatstadt Stratford, wo ich damals den Song *Someday at Christmas* von Stevie Wonder gesungen habe, und jetzt durfte ich denselben Song vor dem Präsidenten der Vereinigten Staaten singen! Es war eine unglaubliche Ehre und ich war echt nervös. Man sieht es an meinen Händen – ich wusste nicht, was ich mit ihnen machen sollte. Ich fühlte mich wie Will Ferrell in *Ricky Bobby – König der Rennfahrer*, haha. Was ich damit sagen will, ist, dass all dies nur durch YouTube-Videos und Fans wie euch möglich geworden ist. Ihr alle habt mein Leben für immer verändert.«

Das zweite Treffen mit Obama fand am 5. April 2010 statt. Es passiert nicht oft, dass der amerikanische Präsident sich in der Öffentlichkeit verspricht, aber als er Justin beim Osterfest im Weißen Haus ankündigte, unterlief ihm ein kleiner Fehler. Er nannte den jungen Sänger »Justin Beiber«, nicht »Bieber«.

Justin störte das nicht, er sagte in einem Interview mit dem *People Magazine*: »Er hat meinen Namen falsch ausgesprochen, aber das verzeihe ich ihm. Schließlich gehört er nicht zu meiner Zielgruppe. Er ist nicht ›One Less Lonely Girl‹.«

Justin freute sich einfach, wieder Gast im Weißen Haus sein und vor etwa 30.000 Zuschauern auftreten zu dürfen. Den ganzen Tag über hielt er seine Fans über Twitter auf dem Laufenden. »Überall sind Scharfschützen und Agenten vom Geheimdienst«, schrieb er, »aber der Präsident hat 30.000 Leute auf das Gelände geholt. Ziemlich cool von ihm … Ich durfte sogar eine Führung durchs Weiße Haus mitmachen und mich mit der Präsidentenfamilie fotografieren lassen. Sie sind echt nett und ich habe mich amüsiert … aber nach drei Auftritten in der

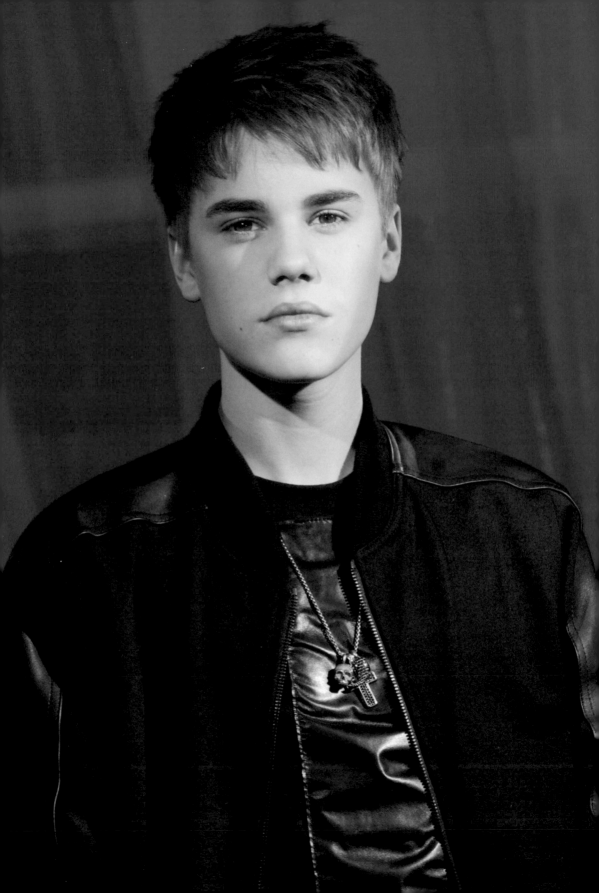

heißen Sonne war ich völlig dehydriert und bin beim letzten Song beinahe aus den Latschen gekippt. Muss unbedingt mehr Wasser trinken.«

Außerdem schrieb er: »Danke an alle, die heute hierhergekommen sind ... das war wirklich ein unglaubliches Erlebnis und ich bin sehr dankbar für die Ehre. Danke allen Fans.«

Justin wird zweifellos noch zu weiteren Osterpartys im Weißen Haus eingeladen werden, weil er beim Publikum so gut ankam. Er selbst wird jenen Tag, den er mit der Präsidentenfamilie verbracht hat, nicht vergessen, vor allem nicht den Besuch im Oval Office, dem Präsidentenbüro. Nicht viele Leute dürfen diesen speziellen Raum betreten, deshalb war es für den Jungen eine große Ehre, dort ein wenig mit dem Präsidenten zu plaudern.

PROMI-FANS

Viele Prominente sind Fans von Justin. Sie lieben seine Art, sein süßes Aussehen und seine Musik.

Eine seiner größten Promi-Verehrerinnen ist Rihanna. Im Dezember 2009 gab sie ihm einen Kuss, als er ihr bei einer Launchparty einen Blumenstrauß überreichte. Sie küsste ihn zwar nur auf die Wange, aber gegenüber Reportern erklärte Justin, dass er nun nie wieder sein Gesicht waschen wolle! Seitdem haben die beiden sich öfters getroffen.

Im November 2010 schrieb Rihanna auf Twitter: »Justin Bieber hat mir gerade mitten im Restaurant seine Bauchmuskeln gezeigt! Wow! Er hat tatsächlich ein kleines Sixpack! Sexy, haha! Liebe Beliebers, bitte bringt mich nicht um!«

Manche finden, dass die beiden ein ausgesprochen hübsches Paar abgeben würden, aber dazu wird es wohl nicht kommen. In einem Fernsehinterview sagte Justin: »Ja, ich habe sie nach einem Date gefragt. Das lief nicht so gut. Sie sagte: ›Du bist leider zu jung.‹«

Justins erster Promi-Fan war nicht Usher, wie die meisten glauben, sondern Ne-Yo. Dieser hatte das Video gesehen, in dem der Elfjährige einen seiner Songs performte. Ne-Yo sagte gegenüber der *Sun*: »Justin sang einen meiner Songs auf YouTube, womit er für einigen Wirbel im Internet sorgte. ... Er kam zu einer meiner Shows und sang, das war damals schon unglaublich. Aber ich habe nichts unternommen, da der Junge erst elf war. ... Ich bereue nichts. So wie die Dinge laufen, hat alles seinen Grund. Ich sollte halt nicht derjenige sein, der ihn unter Vertrag nimmt. Usher hat seinen Job gut gemacht. Wo Justin jetzt ist, soll er auch sein.«

Ne-Yo hat möglicherweise zu lange gezögert und Justin nicht zu einem Plattenvertrag verholfen – aber Justin ist immer noch ein großer Bewunderer von dem Rapper. Auf Facebook schrieb er über Ne-Yo: »Mit deinem Song *So Sick* wurde ich entdeckt. Danke für die Liebe. Bin großer Fan von Ne-Yo. Der Typ ist eine Bestie!«

Zu Justins Fans zählt auch die Familie von Fußballstar David Beckham. Sie waren schon Gäste bei seinen Konzerten und treffen den jungen Sänger regelmäßig bei Spielen der Lakers, des berühmten Basketballteams aus Los Angeles. Auch Russell Brand und seine Ehefrau Katy Perry finden Justin total süß, wie Brand einem Reporter von *E!* verriet: »Wir wollen einen eigenen Justin Bieber haben. Den echten kriegen wir nicht, weil er so sehr mit seiner Arbeit beschäftigt ist.«

Auch die Darsteller der Serie *Glee* würden Justin gern für eine Folge entführen. Lea Michele, die Rachel Berry spielt, ist der Meinung, dass Justin ein großer Gewinn für *Glee* wäre. Und Ryan Murphy, einer der Schöpfer der Serie, sagt, dass er für Justin eigens eine Rolle erfinden würde, wenn der junge Star in der Serie mitspielen wollte. Einer seiner Songs war schon in einer Folge zu hören, aber Justins Fans wollen natürlich mehr!

Nur gute Freunde: Zwischen Justin und Rihanna läuft definitiv nichts – weil sie findet, dass der süße Sänger zu jung für sie ist.

baby, baby« auf einen Notizblock schrieb. Als dieser Clip in der Fernsehshow *Jimmy Kimmel Live* gezeigt wurde, gab es einige Zuschauer, die das wohl sehr witzig fanden – Justins Fans aber nicht.

PUPPE

Man sagt, Nachahmung sei die aufrichtigste Form der Schmeichelei – was Justin im letzten Jahr einige Male erleben durfte, als ein paar Promis versuchten, ihn zu imitieren. Als Sänger Michael Bublé seine Single *Hollywood* promoten wollte, hätte er jeden Promi der Welt zitieren können – aber er entschied sich für Justin. In seinem Video trug Bublé ein lilafarbenes T-Shirt und einen türkisen Kapuzenpulli und stellte sich als Michael Bieber vor. Dann tanzte er und schüttelte sein Haar so, wie Justin es tut.

Gegenüber *PopEater* sagte Bublé: »Mein letztes Video *Haven't Met You* drehte sich um den Traum eines jeden, einen Partner und die Liebe zu finden. Dieses Mal geht es um die Promikultur und den Traum der Leute von Ruhm und Erfolg und was alles dazugehört. Es geht darum, Spaß zu haben, aber auch darum, sich immer im Klaren darüber zu sein, woher man kommt und was echt ist. Man sieht, wie viel Spaß es mir gemacht hat, in all diese Rollen zu schlüpfen.«

Schauspielerin und Comedian Kathy Griffin hatte die Idee, einen eigenen Trailer für Justins Film *Never Say Never -3D* zu drehen, in dem sie eine Hauptrolle spielt. Darin machte sie sich über Justin lustig, indem sie so tat, als hätte sie ihre Stimme verloren, als würde sie einen jungen Fan abweisen und als hätte sie gerade einen unglaublich tollen Texteinfall, wobei sie aber bloß die Worte »Baby,

Mit dem echten Justin kann man leider nicht seine Zeit verbringen, aber mittlerweile gibt es in Geschäften verschiedene Justin-Puppen zu kaufen oder im Internet zu bestellen. Erhältlich sind fünf Puppen zum Sammeln, jede trägt ein bestimmtes Outfit, in dem Justin in einem seiner Videos oder zu Award-Shows aufgetreten ist. Auf Knopfdruck hört man ein dreißig Sekunden langes Snippet eines seiner Songs und außerdem erhalten die Fans ein Miniheft über den Künstler. Der Hersteller der Puppen hat gute Arbeit geleistet – im Gegensatz zu anderen Starpuppen sehen die Figuren dem jungen Sänger sehr ähnlich.

In den USA wurden die Justin-Puppen pünktlich zum Weihnachtsfest 2010 in die Läden gebracht. Die Nachfrage war so groß, dass sie in vielen Shops nach kurzer Zeit ausverkauft waren. Die Händler hatten unterschätzt, wie sehnlichst Justins Fans auf eine Miniausgabe ihres Stars gewartet hatten.

Im Justin Bieber Fan Club Blog hieß es: »Toys R Us rechnete damit, dass die Nachfrage so hoch sein würde, weshalb sie die Puppen aus Asien einfliegen ließen, anstatt die Fracht per Schiff verschicken zu lassen … Ein anderer Händler bestellte eine Million Puppen, weil er ahnte, dass die Fans in Scharen ausströmen würden, um sie zu kaufen.«

Die Justin-Puppen sind in jedem gut sortierten Spielwarengeschäft oder in Internetshops wie Amazon erhältlich.

STEHT FÜR

Q & A (FRAGE UND ANTWORT)

Justin hat schon Tausende von Interviews auf der ganzen Welt gegeben. Die meisten Journalisten stellen ihm aber immer nur dieselben Fragen. Deshalb findet der junge Star auch jene Interviews am besten, bei denen die Fragen von den Fans kommen.

Als *Radio Disney* Justins Fans aufrief, Fragen für ein Interview mit ihrem Star einzusenden, kamen 1500 zusammen! Dies zeigte eindrucksvoll, wie beliebt Justin ist. Am Ende konnten die Hörer die besten drei Fragen auswählen, die Justin dann bei dem Interview gestellt wurden.

Eine davon lautete: »Wie fühlt sich für dich das Leben als Promi an und kannst du

Leuten, die auch erfolgreich werden wollen, einen Rat geben?« Justin antwortete: »Mein Ratschlag lautet: Harte Arbeit zahlt sich aus. Außerdem müsst ihr euren Träumen folgen und Gott immer an erster Stelle stehen lassen, das muss euch klar werden. Bevor ich einen Plattenvertrag hatte, wusste ich nie, was hinter den Kulissen abging. Ich war einfach nur Justin und hatte keine Ahnung von Fotoshootings. Ich wusste nicht, dass man viel Pressearbeit machen muss. Das gehört einfach dazu … Jetzt sehe ich zu, dass mir auch diese Aufgaben Spaß machen.«

Manchmal werden Justin auch unangenehme Fragen gestellt, auf die er nicht vorbereitet ist. Bei einem Interview mit der Zeitschrift *Heat* wurde er gefragt, ob er eine Freundin habe. Er sagte: »Ich finde, dass diese Frage einfach zu oft gestellt wird. Ich werde nie ein vernünftiges Privatleben haben können, wenn man mir immer wieder diese Frage stellt. Deshalb werde ich sie auch nie wieder beantworten.« Auch wenn die Fans gern mehr über Justins Liebesleben erfahren würden, ist es besser, dass er darauf nicht mehr eingeht. Nur zu oft sind Journalisten mehr an dem Privatleben als an der Musik des jungen Sängers interessiert. Wenn in einem Bericht über Justin aber doch mal der Name einer möglichen Freundin fällt, bekommt diese von Justins Die-Hard-Fans auch schon mal Hasspost und Todesdrohungen geschickt – was natürlich gar nicht geht!

Meistens wird parallel zu einem Interview auch gleich ein Fotoshooting anberaumt oder Justins Management gibt bereits existierende Fotos für einen Artikel heraus. Normalerweise wählen die Zeitschriften nette Fotos aus, aber hin und wieder sind Justin und seine Fans doch nicht sehr glücklich mit den Aufnahmen.

So hassten viele Fans beispielsweise das Cover des brasilianischen Magazins *Todateen Star*, weil Justin, nachdem das Bild bearbeitet worden war, aussah, als hätte er Lippenstift und Lidschatten aufgetragen. Auf Twitter war das Foto unter den Fans ein riesengroßes Thema, sodass die Zeitschrift sich verteidigen zu müssen glaubte und in der *Huffington Post* ein Statement veröffentlichte. Die Antwort – ursprünglich auf Portugiesisch und dann übersetzt – lautete: »Wir haben eure Kommentare und Tweets zu Justins Coverfoto zur Kenntnis genommen und möchten klarstellen, dass wir keine Nachbearbeitung bei der Augenpartie des Sängers vorgenommen haben. Leider gab es ein technisches Problem, wodurch einige Bereiche des Fotos stark verdunkelt erschienen sind ... Wir möchten nochmals ausdrücklich sagen, dass wir Justins natürliches Aussehen sehr

schön finden. Deshalb betonen wir, dass wir es nicht für notwendig halten, Fotos von ihm zu bearbeiten. Natürliche Schönheit braucht keine Retusche, nicht wahr?«

Zu dieser Angelegenheit äußerte Justin sich nicht, allerdings ließ er bei anderer Gelegenheit durchblicken, dass ihm eines seiner Fotos gar nicht gefiel. Es zierte das Cover des berühmten *People Magazine* und zeigt einen lachenden Justin, aber viele Fans waren der Meinung, dass es ganz und gar nicht zu ihm passte. Über dieses Foto schrieb er auf Twitter: »Liebe Leute bei *People* ... Wenn ich beim nächsten Fotoshooting wieder wie ein Irrer lache, sagt es mir bitte, falls ihr dann gerade abdrückt ... Ich mag euch immer noch gern, aber lasst uns beim nächsten Mal bitte auf gleicher Wellenlänge sein.«

Die Nachricht blieb nicht lange auf Twitter, sondern wurde schnell durch die folgende ersetzt: »Exklusive Story und Fotos in der neuen Ausgabe von *People*. Auf dem Cover seh ich aus wie der letzte Irre, aber man muss auch mal über sich selbst lachen können.«

R

STEHT FÜR

RUHE

Jeder braucht mal eine Pause, aber für einen der größten Popstars der Welt ist das manchmal ganz schön schwer zu realisieren.

Justin sagte in einem Interview mit Oprah Winfrey: »Wir versuchen, einen Tag pro Woche wirklich frei zu halten, damit ich als ganz normaler Jugendlicher Basketball spielen, mit Freunden abhängen und all die anderen alltäglichen Dinge tun kann. Manchmal kommt es auch vor, dass ich diesen Tag komplett verpenne, weil ich von den vorherigen sechs Tagen so kaputt bin.«

Als Justin in einem Interview mit *Seventeen* gefragt wurde, was er in der vergangenen Nacht geträumt habe, sagte er: »Da war nur Dunkelheit, weil ich nicht träume. Ich schlafe einfach ein, sehe ganz viel Schwarz und wache wieder auf.«

Viele Leute halten das Leben als Promi für einfach, was nicht stimmt. Justins Tage sind immer sehr lang, da er neben der Musik auch noch für die Schule lernen muss. Als er auf Tour war, dachten viele, dass Justin tagsüber viel Freizeit haben müsste, aber meistens war er damit beschäftigt, Interviews zu geben oder von Ort zu Ort zu reisen.

Immer unterwegs und weg von zu Hause zu sein wirkt sich auch auf Justin aus, wie er gegenüber dem *Guardian* zugab: »Man ist so weit weg und fängt allmählich an, sich wie ein Roboter zu fühlen. Wenn ich in Europa bin, ist der Terminplan immer komplett ausgefüllt, dazu kommt dann auch noch der Zeitunterschied, da steht man schon ziemlich neben sich. Das ist ein echt komisches Gefühl.«

Trotz aller Termine besucht Justin gern seine jüngeren Halbgeschwister in Kanada, wann immer er Zeit dazu findet – was natürlich auch Stress für ihn bedeutet. Aber er würde dennoch seinen Job gegen nichts in der Welt einwechseln wollen, weil er seinen Erfolg als Geschenk Gottes betrachtet. Er weiß genau, dass Millionen von Menschen gern mit ihm tauschen würden.

Wenn Justin mal eine Woche frei hat, ruht er sich meistens gar nicht aus, weil er sich schnell langweilen würde. Stattdessen unternimmt er lieber etwas mit seinen Freunden. Nur wenn er krank ist, bleibt ihm nichts weiter übrig, als im Bett zu bleiben – die Gesundheit geht vor! Oft muss er auch Interviews absagen, um seine Stimme zu schonen. Seine Stimmbänder benötigen auch mal Ruhe – so oft, wie er auf der Bühne steht!

STEHT FÜR

SCHAUSPIELEREI

Justin mag vor allem als Sänger bekannt sein, aber er ist auch ein sehr talentierter Schauspieler – um dieses Talent zu zeigen, braucht er nur mehr Gelegenheiten.

Am 23. September 2010 war er in einer Folge der amerikanischen Krimiserie *CSI: Den Tätern auf der Spur* zu sehen. Darin spielte er die Rolle des Jason McCann, einen problembeladenen Teenager. Für Justin war es eine aufregende Erfahrung, er liebte die Arbeit vor der Kamera. Für die Aufnahmen musste er einen orangefarbenen Overall tragen. Zu jener Zeit twitterte er ein Foto, auf dem er von einem Polizisten abgeführt wird, es trägt die Überschrift: »Ich habe euch ja gesagt, dass ich ein BÖSER BUBE bin!!« Am Set ließ er ein Foto von sich machen, wo er neben einer Leiche steht und einen abgetrennten Arm hochhält – was natürlich nur gestellt war!

Carol Mendelsohn, die ausführende Produzentin von *CSI*, sagte gegenüber MTV: »Ich fand, dass er seine Sache wirklich gut gemacht hat. Wir hatten Justin nur für einen Tag, für insgesamt zehneinhalb Stunden gebucht und für ihn stand eine ganze Menge Arbeit in diesen Stunden an.«

Justin hinterließ einen so guten Eindruck, dass ihm angeboten wurde, im Februar 2011 in einer weiteren Folge mitzuspielen. Natürlich schlug er diese Gelegenheit nicht aus!

Justin würde auch gern mal in Kino- oder Fernsehfilmen mitspielen. Ihm schwebt ein Remake des Films *Grease* vor und einem Reporter von der Zeitung *The Sun* gegenüber sagte er, dass er Miley Cyrus die Rolle der Sandy und Susan Boyle die der Schulleiterin McGee geben würde. Und am liebsten würde er noch mehr bekannte Gesichter in dem Film mitspielen lassen.

Vor Susan Boyle, der berühmten Gewinnerin einer britischen Castingshow, zieht Justin den Hut. Er sagt: »Würde Susan Boyle nicht eine fantastische Principal McGee ab-

Justin kann nicht nur sehr gut singen, sondern ist auch ein sehr guter Schauspieler – wie er in einer Folge von »CSI: Den Tätern auf der Spur« eindrucksvoll beweist.

geben? Wir müssten dem Drehbuch nur hinzufügen, dass sie singen kann. Ich bin total begeistert von Susan. Wenn ich mir ihr erstes Vorsingen bei *Britain's Got Talent* ansehe, stellen sich mir die Nackenhaare auf!«

SCHULE

Seine schulische Laufbahn begann Justin an der Jeanne Sauvé Catholic School in Stratford. Es war eine französichsprachige Schule, was bedeutete, dass Justin und seine Freunde Unterricht auf Französisch bekamen. Ihre Lehrer sprachen nicht englisch mit ihnen, weshalb sie gezwungen waren, die französische Sprache schnell zu lernen.

Nach der sechsten Klasse verließ Justin die Jeanne Sauvé Catholic School und wechselte zur Stratford Northwestern Public School. Hier war er unter seinen Mitschülern als Ho-ckey-Ass bekannt und lernte beim Training auch seine besten Freunde Chaz Somers und Ryan Butler kennen. Die drei liebten Eishockey und wollten Profispieler werden.

Justin ging überhaupt nicht gern zur Schule, sondern hielt sich lieber auf dem Sportplatz auf. Wenn er ein Fach auswählen müsste, das er nicht ganz so schlimm gefunden hat, wäre es wahrscheinlich Englisch – Mathe hat er am meisten gehasst.

Seine Lieblingslehrer waren Miss Booker und Mr Monteith. Mr Monteith erinnert sich noch gut an Justin und beschreibt ihn als mutig und sehr wissbegierig, was neue Dinge betrifft. Wenn Justin sich richtig reinkniete, gab es so gut wie nichts, bei dem er nicht gut war. Zu Schulzeiten war er in jeder Sportart ein Ass, genauso wie in musikalischen Dingen oder beim Tanzen. Miss Booker sagte in einem Interview, dass sie Justin schon in der siebten Klasse für einen guten Sänger hielt – aber Justin hat bisher in keinem Interview erwähnt, dass er in der Schule gesungen hat. Im Gegenteil, er behauptet, dass er seinen Klassenkameraden von seinen Sangesküns-ten und seinem musikalischen Talent nichts verraten hatte. Bis er mit zwölf Jahren seinen ersten öffentlichen Auftritt hatte, ging er diesem Hobby meist nur zu Hause nach.

Als Justin mal eine Sechs in einer Klassenarbeit bekam, versuchte er, seine Mom zu täuschen, indem er mit dem Rotstift des Lehrers aus der Sechs eine Zwei machte. Seine Mom musste auf einem Zettel unterschreiben, dass sie die Note gesehen hatte, und sie tat das natürlich voller Freude, weil sie annahm, dass Justin so gut in der Schule sei.

Das war nicht die einzige Gelegenheit, bei der Justin gelogen hatte, wie er gegenüber *Top of the Pops* gestand: »Nein, das war nicht das erste Mal. Einmal habe ich ihr gesagt, ich hätte ihr zum Geburtstag einen Kuchen gebacken, aber in Wirklichkeit hatte ich den beim Bäcker gekauft. Wenn ich gewusst hätte, wie das geht, hätte ich ihn ja selbst gemacht. Aber ich hatte Schiss, dass ich das nicht hinbekommen würde.«

Seit seiner Schulzeit hat Justin sich sehr verändert. Jetzt versucht er, seiner Mutter, seiner Familie und seinen Freunden gegenüber immer ehrlich zu sein. Auch seine Fans würde er niemals belügen – dafür liebt er sie zu sehr.

Die letzte Schule, die Justin besuchte, war die Stratford Northwestern Secondary School und dort blieb er bis zu seinem Umzug nach Atlanta. Seine Kumpels Ryan und Chaz gehen noch immer auf diese Schule.

Als Justin in Atlanta angekommen war, warteten gleich Studioarbeit und Promotion auf ihn, aber trotz allem musste er sich immer noch auf die Schule konzentrieren. Auch wenn er sehr beschäftigt damit war, seine Karriere aufzubauen, war er immer noch viel zu jung, um die Schule abbrechen zu dürfen. Deshalb musste ein Privatlehrer für ihn engagiert werden. Diesen Job übernahm Jenny, eine Lehrerin von der School of Young Performers. Viele junge Talente hatten bereits einen Lehrer von dieser Schule bekommen – Miley Cyrus und Rihanna sind nur zwei

berühmte Beispiele. Jenny und die anderen Lehrer behandeln ihre Schüler nicht anders als normale Highschool-Kids. Sie können sehr streng sein und lassen ihre Schützlinge mit keiner Ausrede durchkommen, wenn diese mal wieder nicht rechtzeitig ihre Hausaufgaben erledigt haben.

Bei einem Interview in Madrid während der Promotion zu *My World: The Collection* sagte Justin: »Ich reise immer mit einem Privatlehrer, mit dem ich fünfmal pro Woche dreistündigen Unterricht habe. Ich will meinen Highschoolabschluss machen und später studieren – mal sehen, wohin mich meine Musik trägt … Ich möchte auch gern mal in die Filmbranche reinschnuppern, aber jetzt will ich mich erst mal auf meine Musik konzentrieren.«

Jennys Nachnamen hat Justin der Öffentlichkeit nie verraten, deshalb kann sie sich frei bewegen, ohne von Tausenden von Fans belagert und mit Geschenken für Justin überhäuft zu werden. Die beiden haben eine professionelle Beziehung, aber Jenny ist für Justin wie ein Freund. Manchmal gibt sie ihm echt schwere Hausaufgaben auf, dann wendet er sich auch schon mal an seine Fans und bittet sie um Hilfe.

Am 15. Juli 2010 postete er beispielsweise ein Foto von sich auf Twitter, auf dem man ihn bei den Hausaufgaben sieht, und die Message dazu lautete: »Kleine Pause. Versuche gerade rauszufinden, ob mein neuer Blick aufs Leben spitz- oder stumpfwinklig ist. Wann im Leben braucht man so was?!«

Bei einem Interview mit dem *Guardian* wurde Justin auf seinen Privatunterricht angesprochen. Er erklärte: »Ich muss nur drei Stunden Unterricht pro Tag machen, was gut ist. Ich schweife zu schnell mit meinen Gedanken ab. Deshalb ist es besser, wenn ich Einzelunterricht bekomme. Ich bin ziemlich hart zu mir selbst. Ich will alles immer besser machen.«

Der Journalist fragte Justin schließlich, ob er unter AHDS (Aufmerksamkeitsstörung) leide, worauf Justin antwortete: »Ja, ein kleines bisschen … Wenn ich irgendwas nicht verstehe und mich langweile, passe ich nicht mehr auf. Deshalb muss mein Lehrer zusehen, dass der Unterricht für mich richtig interessant bleibt.« Justin darf nach jeder Stunde eine kurze Pause machen, dann muss er wieder ran. Dadurch steigert er seine Konzentration und bleibt mit den Gedanken bei der Sache.

Im Übrigen wurde bei Justin nie AHDS festgestellt – er vermutet nur, dass er darunter leidet.

SCHON GEWUSST?

Justin ist ein schlaues Kerlchen, er hat einen Notendurchschnitt von 4.0, was in Deutschland mit einem Einserschnitt vergleichbar ist. In den USA braucht man gewöhnlich nur einen Durchschnitt von 3.0, um bei einer Universität angenommen zu werden. Der Privatunterricht dürfte sicherlich zu diesem fantastischen Ergebnis beigetragen haben. Wenn Justin seinen Schulabschluss gemacht hat, wird Jenny sich wahrscheinlich einem anderen jungen Star widmen, der keine Zeit für eine öffentliche Schule hat.

SCOOTER BRAUN

Scooter ist Justins Manager. Er und seine Freundin Carin sind seit über zwei Jahren so was wie eine Familie für den jungen Sänger und seine Mom. Justin und Pattie können sich ein Leben ohne Scooter und Carin gar nicht mehr vorstellen – und das, obwohl Justins Mom Scooter Braun gegenüber

anfangs sehr misstrauisch war. Damals wollte sie einfach nur sichergehen, dass ihr Sohn in gute Hände kam.

Justin und Pattie hatten keine Ahnung, dass die Videoclips, die sie von Justins *Stratford Star*-Auftritten auf YouTube gepostet hatten, zu einem Plattenvertrag und zu Justins baldiger Welteroberung als Musikstar führen würden. Eigentlich hatte Pattie der Familie und den Freunden, die zu weit weg wohnten, um Justins Auftritte zu erleben, einfach nur zeigen wollen, wie talentiert ihr Sohn war, deshalb hatte sie die Clips hochgeladen.

An jenem Tag, als Scooter zufällig einen Clip von Justin entdeckte, hatte er nicht – wie allgemein angenommen – stundenlang auf YouTube nach potenziellen Superstars gefahndet. Gegenüber *azcentral.com* erklärte er: »Ich suchte nach einem Act, den Akon unter Vertrag hatte, und sah mir dessen YouTube-Clips an. Der Junge sang *Respect* von Aretha Franklin und neben dem Clip fand ich einen Link zu Justins Video, weil der ebenfalls *Respect* sang. Ich sah mir auch seinen Clip an, weil ich dachte, es handelt sich um denselben Jungen. Aber der 20-Jährige, den ich zu sehen glaubte, war plötzlich zwölf.«

Scooter war nicht der Erste aus der Musikbranche, der über Justins Videos gestolpert war – viele hatten ihn gesehen, hatten es aber nicht geschafft, ihn unter Vertrag zu nehmen. In einem Interview mit *Macleans.ca* berichtete Justin, wodurch Scooter sich von allen anderen abgehoben hatte: »Viele verschiedene Plattenbosse hatten mich kontaktiert, unzählige Manager und Agenten. Meine Mom sagte: ›Justin, ich glaube nicht, dass dies irgendwohin führt, das klappt nicht. Wir haben keinen Anwalt und auch kein Geld für einen Anwalt und wir werden nicht irgendwas unterschreiben, von dem wir keine

Ahnung haben.‹ Deshalb sagten wir letzten Endes all diesen Leuten ab … Dann war da dieser Typ, sein Name lautet Scooter, er versuchte, mit meiner Familie in Kontakt zu treten. Er wendete sich sogar an meinen Schulleiter, telefonierte mit meiner Großtante, die ich gar nicht kannte, und landete schließlich bei meiner Tante, die seine Nachricht an meine Mom weiterleitete. Meine Mom fragte sich: ›Wer zum Henker ist dieser Kerl?‹ Sie rief ihn an, um ihm zu sagen, dass er uns in Ruhe lassen soll.

Manager Scooter Braun stieß zufällig im Internet auf ein Video von Justin und erkannte gleich das Potenzial des jungen Sängers.

Und daraus wurde ein zweistündiges Telefonat. Meine Mom hörte auf ihr Bauchgefühl – ich glaube, Mütter wissen genau, wann sie darauf hören müssen. Der Typ bot uns an, nach Atlanta zu kommen – ohne irgendwelche Bedingungen. So hat alles angefangen.«

Justins Mom betete viel, bevor die beiden sich auf die Reise nach Atlanta machten. Sie wollte sichergehen, dass sie das Richtige tat. Immer hatte sie gewollt, dass Justin einen stark christlich geprägten Mentor bekam und bei einem christlichen Plattenlabel unterschrieb – aber Scooter war jüdischen Glaubens. Sie betete lange und ausgiebig mit Bekannten aus ihrer Kirchengemeinde und auch allein.

Als Justin und Pattie Scooter in Atlanta trafen, erkannten sie gleich, wie offen und ehrlich er war, als er ihnen seine Pläne mitteilte. Gegenüber der *New York Times* sagte Scooter: »Zuerst wollte ich ihn noch ein wenig über YouTube aufbauen. Wir posteten immer neue Videos. Ich sagte: ›Justin, sing, als wäre niemand anderes im Raum. Aber lass uns keine teuren Kameras benutzen.‹ Wir wollten den Kids weiter Futter geben und sie die Arbeit machen lassen, damit sie das Gefühl bekommen, sie hätten Justin aufgebaut.«

Scooter ließ Justin ein paar Demo-Songs aufnehmen, die er einigen Leuten aus der Branche vorspielen wollte. Gleichzeitig ließ er ihn weiterhin neue Clips auf YouTube posten. Zwar hatte der junge Sänger nicht solche Karrieresprungbretter wie Nickelodeon oder Disney im Rücken, aber er konnte mit seinem großen Talent überzeugen. Scooter war sich sicher, dass sie Erfolg haben würden. Er sorgte in der Branche dafür, dass über Justin geredet wurde. Und als Usher einen Clip von ihm sah, wollte er das junge Talent sofort kennenlernen.

Letzten Endes war es nicht nur Usher, der an einem Vertrag mit Justin interessiert war, sondern auch Justin Timberlake. Deshalb arrangierte Scooter Treffen mit jedem von den beiden. Anschließend wollte man sich entscheiden, wer der bessere Mentor für Justin sein würde. Usher und Justin waren sich schon gleich zu Anfang über den Weg gelaufen, und zwar an dem Tag, als Scooter Justin und seine Mom nach Atlanta eingeladen hatte. Der Soulsänger und das aufstrebende Talent hatten sich auf dem Parkplatz von Scooters Studio getroffen, aber Usher hatte Wichtigeres zu tun, als sich mit dem Jungen zu unterhalten.

Als Justin in einem Interview zu den Treffen mit Usher und Timberlake befragt wurde, plauderte er ein wenig aus dem

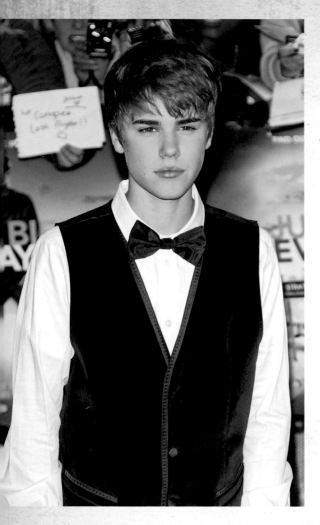

Woche später rief Scooter mich an und sagte, dass Usher meine Videos gesehen und gesagt habe: ›Der Junge hat echt Talent.‹ Er bot mir an, nochmals nach Atlanta zu kommen. Wir stimmten zu und flogen gleich wieder nach Atlanta. Dort hatten wir ein Meeting mit Usher, was echt klasse war. Er wollte mich auf der Stelle unter Vertrag nehmen, aber wir hatten auch schon einen Termin mit Justin Timberlake vereinbart. Er und Usher sind in der Musikbranche echte Rivalen. Beide wollten mit mir einen Vertrag abschließen, aber letztendlich haben wir uns für Usher entschieden. Beide sind tolle Typen, aber am Ende haben meine Anwälte den besten Deal für mich rausgeholt.«

Weil Justins Anwälte sich für Usher entschieden hatten, bekam Scooter mehr Mitspracherecht, als er es bei Timberlake bekommen hätte.

»Usher hatte damals noch gar kein eigenes Label«, verriet der Manager gegenüber *azcentral.com*, »deshalb wollte er mein Partner werden. Auch Timberlake wollte mein Partner werden, aber die Leute bei seinem Label waren nicht gerade begeistert davon. Usher verstand die Rolle, die er nach meinen Vorstellungen spielen sollte.«

Schließlich schloss Justin einen umfangreichen Vertrag mit der Raymond Braun Music Group – diesen Namen hatten Usher und Scooter sich für ihre neue Partnerschaft ausgedacht. Daraufhin unterschrieben sie im Juli 2008 einen 50/50-Deal mit L.A. Reids Island Def Jam Music Group.

Scooter ist Justins Freund, aber manchmal muss er ihn auch in die Schranken verweisen. In einem Interview mit der Zeitschrift *You* berichtete Braun: »Justin ist der Sohn, den ich nie hatte. Wenn er sich falsch verhalten hat, muss er sich entschuldigen. Bei mir wird er nicht mit Samthandschuhen angefasst. Ich habe schon Leute entlassen müssen, weil sie ihn zu sehr verhätschelt haben. Er ist noch ein Junge, er ist nicht perfekt. Man muss Grenzen setzen und konsequent sein.«

Nähkästchen: »Ich fuhr zu einem Studio in Atlanta, um ein paar Leute kennenzulernen, und Usher war auch da, er kam gleichzeitig am Studio an. Das war irgendwie verrückt, ich hatte nie zuvor einen berühmten Menschen getroffen. Ich lief zu ihm und sagte: ›Usher, Usher, ich liebe deine Songs, kann ich dir was vorsingen?‹ Aber er sagte Nein, allerdings auf absolut freundliche Weise. Er sagte: ›Komm, lass uns erst mal reingehen, es ist kalt hier draußen.‹ Ich konnte ihm also nichts vorsingen, was mich ein wenig enttäuschte. Wieder zurück in Kanada, erzählte ich jedem: ›Alter, ich habe Usher getroffen!‹ und alle sagten nur ungläubig: ›Ja, klar!‹ Eine

Justin hat vor, noch viele Jahre lang Musikkünstler zu bleiben, und Scooter will ihm dabei immer zur Seite stehen. Gegenüber dem *Hollywood Reporter* verriet er, dass Justin von den Fehlern anderer Leute lernt: »Justin studiert nicht die Leute, die Fehler gemacht haben, sondern die Leute, die noch keine gemacht haben. Er weiß Bescheid über all die Unkenrufe, dass der Höhenflug des jungen Stars ganz schnell wieder vorbei sein wird. Deshalb sieht er sich gern all die Justin Biebers vor ihm genauestens an, die schnell wieder weg vom Fenster waren. Er will wissen, warum sie gescheitert sind. Dabei stellen wir fest, dass es nichts mit deren Talent zu tun hat, sondern immer nur mit ihrem Privatleben. Die meisten Kids verfallen den Drogen und zerstören damit ihre eigene Laufbahn.«

Pattie würde es nie und nimmer zulassen, dass Justin Drogen nimmt, weil sie aus eigener Erfahrung weiß, wie sehr diese das Leben ruinieren können. Außerdem würde Justin auch gar keine Drogen anrühren, weil er sich zu sehr auf das konzentriert, was er erreichen will. Er würde nie Gott, seine Familie oder seine Fans durch irgendeine Art von Drogenmissbrauch enttäuschen.

SELENA GOMEZ

Selena Gomez ist eine sehr talentierte Schauspielerin und Sängerin aus Texas. Bekannt geworden ist sie durch die Rolle der Alex Russo in der Disney-Fernsehsendung *Die Zauberer vom Waverly Place*. Sie ist eine sehr enge Freundin von Justin und viele Fans glauben, dass die beiden in der Vergangenheit ein Paar waren oder es immer noch sind. Trotz eindeutiger Paparazzifotos von den beiden weiß man nicht genau, ob die Gerüchte zutreffen, die seit Dezember 2010 die Runde machen. Damals waren beide in Philadelphia entdeckt worden, wie sie zusammen im International House of Pancakes Pfannkuchen aßen. Die

SCHON GEWUSST?

Manchmal kommt Justin sich neben Selena sehr klein vor. Der Zeitschrift »Sugar« erzählte sie. »Als ich letztens neben ihm stand, trug ich hohe Absätze, und er bat mich, die Schuhe auszuziehen, weil er nicht kleiner als ich sein wollte. Ich musste lachen und sagte: ›Nein, du wirst mich ganz sicher nicht dazu bringen, meine Schuhe auszuziehen!‹«

Website *TMZ* schrieb, dass die beiden Arm in Arm und Händchen haltend gesehen worden seien, aber Selena dementierte diese Meldung ein paar Tage später auf MTV. Sie sagte: »Meine Güte, wir waren bloß Pfann-

kuchen essen! Justin ist einer meiner besten Freunde … Es waren nur Pfannkuchen! Wir waren zufällig in derselben Stadt, deshalb haben wir uns zum Pfannkuchenessen verabredet. Das ist auch schon alles.«

Zu einem früheren Zeitpunkt hatte Selena mal gesagt, dass sie Justin nicht daten würde, weil das »zu seltsam« wäre. Sie ist zwei Jahre älter als er und fühlt sich eher wie Justins große Schwester.

Bereits 2010 vermuteten Justins Fans, dass zwischen den beiden was lief, weil ihre Familien damals gemeinsam Thanksgiving gefeiert hatten. Außerdem hat Selena ständig in Interviews betont, wie sehr sie ihn mag. »Er ist so süß«, sagte sie gegenüber *BBC Switch.* »Jedes Mal wenn wir zusammen abhängen, genieße ich es, weil dann der Bieber verschwindet. Wir chillen und haben Spaß und es wird deutlich, dass er ein 16-Jähriger ist, der wirklich Spaß an dem hat, was er tut.«

In einem Radiointerview mit Kidd Kraddick sagte sie: »Er ist der süßeste Junge auf diesem Planeten. Ich komme mir vor wie eine erwachsene Frau, die sich in einen Jugendlichen verknallt hat.«

Als im Januar erste Fotos aus ihrem Urlaub auftauchten, auf denen die beiden sich küssen, waren viele Fans aufgebracht. Manche gingen sogar so weit, über Twitter Morddrohungen an Selena zu schicken. Im Mai 2011 wurden Selena und Justin im Urlaub auf Hawaii von Paparazzi fotografiert, als sie sich umarmten und innig küssten.

Songs

Schon immer hat Justin Musik vieler verschiedener Genres gehört. Er hält es für vorteilhaft, wenn man einen breiten Musikgeschmack hat. Als Kind waren seine Lieblingssongs *God Is Bigger Than the Boogie Man* aus der christlichen Cartoon-Serie *Veggie Tales* sowie der Boyz-II-Men-Klassiker *On Bended Knee.*

In seinen Songs, die er heute selbst schreibt und aufnimmt, bemüht er sich, die verschiedenen musikalischen Einflüsse ein wenig zu verbinden. Gegenüber der Zeitschrift *Details* sagte er: »Ich finde, als Musikkünstler sollte man etwas machen, was alle Altersgruppen anspricht. In meinen Songs geht es um Liebe, aber auch um alltägliche Sachen und Dinge, mit denen die Leute sich identifizieren können. Als ich noch ganz jung war, trennten sich meine Eltern, das war echt schwer für mich. Deshalb habe ich einen Song darüber geschrieben. Ich strebe eine langanhaltende Karriere an und brauche nicht nur einen Hit.«

Justin dreht sehr gern Videos für seine Singles, weil er dabei meistens eine gut aussehende Schauspielerin an seiner Seite und weitere süße Mädchen im Hintergrund hat. Auch wenn die Arbeit am Set manchmal unglaublich lange dauert, weiß Justin doch, dass am Ende immer ein richtig gutes Video herauskommt, das seine Fans lieben werden. Ihm fällt es schwer, sich bei seinen eigenen Songs auf einen Lieblingstitel festzulegen, weil er sie alle aus unterschiedlichen Gründen mag.

Das Video für *One Time*, Justins erster offizieller Clip, wurde in Ushers Haus gedreht, einmal, weil man nicht extra eine Luxusvilla für den Dreh mieten wollte, und zum anderen, weil im Video Ushers Haus zu sehen sein sollte. Justin wollte, dass sein Kumpel Ryan in dem Clip mitspielte, weshalb dieser kurzerhand nach Atlanta geholt wurde. Am Anfang sieht man in Ushers Wohnzimmer Ryan und Justin ein Videospiel spielen – so wie sie es in Wirklichkeit auch gern tun, nur dass sie jetzt dabei gefilmt wurden. Für die beiden war der Dreh ein echt tolles Erlebnis.

Justin steht auf Spannung, die sich um einen Single-Release herum aufbaut, und kann es immer kaum erwarten zu erfahren, was seine Fans von einem neuen Song halten. Seine erste Single *One Time* wurde am 18. Mai 2009 zum ersten Mal im Radio gespielt und

eine typische Teenie-Beziehung, deshalb kann sich wohl fast jeder mit dem Song identifizieren. Wenn man noch jung ist, denkt man manchmal, dass es die wahre Liebe ist, später erkennt man aber, dass man nur verknallt war – darum geht es in dem Song.«

Immer wenn ein Single- oder Album-Release ansteht, muss Justin viel Promotion dafür machen. Aber er erledigt die Arbeit mit seinem berühmten Lachen, weil er so dankbar für die Möglichkeit ist, seine Musik auf der ganzen Welt zu veröffentlichen.

STRASSENMUSIKANT

Mit zwölf Jahren versuchte Justin sich als Straßenmusikant, und zwar vor dem Avon Theatre in seiner Heimatstadt Stratford. Damit wollte er sowohl Geld verdienen, als auch sein musikalisches Talent verfeinern. Die Idee dazu kam ihm, als er mit seinen Freunden Golf spielen wollte, aber kein Geld dafür hatte. Kurz zuvor hatte er sich an dem Talentwettbewerb *Stratford Star* beteiligt und dabei erkannt, dass er sehr gut performen konnte.

Fans in den USA und in Kanada konnten den Song ab dem 7. Juli kaufen. In Deutschland war die Single erst am 4. September 2009 erhältlich. Die zweite Single, *One Less Lonely Girl*, wurde in Nordamerika am 6. Oktober 2009 zuerst über itunes veröffentlicht, am 18. Januar 2010 folgte *Baby*, sein bis dato größter Hit. Single Nummer vier war ein Remix von *Somebody to Love* mit Usher, sie wurde am 25. Juni 2010 veröffentlicht, gefolgt von *U Smile* am 24. August.

Nach der Veröffentlichung von *One Time* erzählte Justin gegenüber *DigitalSpy*, wovon der Song handelt: »Im Grunde geht es um

Er dachte, dass er die Leute mit seiner Stimme beeindrucken könnte und sie etwas Geld in seinen Gitarrenkoffer werfen würden, wenn er sich mit seinem Instrument auf die Treppe vor dem Avon Theatre setzte. Am ersten Tag machte er fast 200 Dollar. Er beschloss, das Geld für eine Reise mit seiner Mom nach Disneyland zu sparen.

Das Avon Theatre in der George Street East war dafür die perfekte Location, da es sich um einen belebten Platz handelt, der viele Touristen anzieht. Weil in Stratford jeden Sommer das renommierte Shakespeare Festival stattfindet und Tausende von Besuchern

sich rund um das Theater aufhalten, spielte Justin immer vor relativ großem Publikum.

Manche Touris – wie etwa eine Gruppe Schulmädchen, die sich auf Klassenfahrt in Stratford befanden – waren so begeistert von dem »Künstler«, dass sie seine Performance filmten und bei YouTube hochluden. Der junge Sänger spielte Songs der verschiedensten Genres, sodass für jeden etwas dabei war. Manchmal waren es religiöse Lieder, mal Popsongs und auch mal etwas Klassisches. In einem Interview mit dem *Rolling Stone* sagte Justin: »Ich habe *I'll Be* von Edwin McCain gesungen, *You and Me* von Lifehouse, *U Got It Bad* von Usher und *Cry Me a River* von Justin Timberlake.« Ein weiterer seiner Favoriten aus der Zeit als Straßenmusikant war *Refine Me* von Jennifer Knapp.

Die Leute, die ihn vor dem Theater hatten singen hören, fanden schließlich auch die Clips von *Stratford Star*, die Justins Mutter auf YouTube gepostet hatte. Sie erzählten ihren Freunden davon und fingen an, nette Botschaften an den Jungen zu hinterlassen und ihn für sein Talent zu loben. So hatte Justin also seine ersten Fans.

Zum Glück hatten jene Schulmädchen, die Justin auf der Treppe gefilmt hatten, die Idee, den Clip auf YouTube hochzuladen – dieses Video ist das einzige Bildmaterial von ihm als Straßenmusikant. Seine Mutter hatte ihn nur bei *Stratford Star* gefilmt, nicht bei seinen Open-Air-Performances.

Nachdem Justin zum Megastar geworden war, sprach der Manager des Avon Theaters, Eldon Gammon, in einem Interview mit der örtlichen Zeitung *The Star* darüber, wie gut ihm Justins musikalische Darbietungen vor dem Theater gefallen hatten. Er bezeichnete Justin als den »kleinen Jungen mit der großen Stimme«. Außerdem sagte er: »Es sah so aus, als wäre seine Gitarre größer als er. Ganze Schulklassen hatten sich immer um ihn versammelt. Dann ertönte unüberhörbar der Gong, um zu signalisieren, dass die Vorstellung weiterging, aber wir mussten die

Zuschauer buchstäblich wieder ins Theater zurückschleifen. Schon damals zog er die Leute an, er war immer sehr freundlich und bedankte sich. Es ist schon erstaunlich, dass die Musik, die er heute macht, ganz anders ist als das, was er hier gespielt hat.«

STYLE

Jeder erfolgreiche Popstar braucht einen großartigen Stylisten und in Justins Fall ist das Ryan Good. Ryan ist schon von Anfang an für Justins Aussehen zuständig, eine Zeit lang war er auch Justins Road Manager. Die beiden sind gute Freunde und Ryan ist immer hundert Prozent ehrlich gegenüber Justin. Als der junge Sänger Promotion für seine ersten Singles machte und quer durch die USA reiste, begleitete ihn Ryan und passte auf ihn auf. Justin wird zwar auch immer von seiner Mom begleitet, aber trotzdem war es gut, dass er Ryan dabeihatte, weil der sich gut mit dem Musikbusiness auskennt.

In einem Interview mit der Zeitschrift *T* wurde Justin zu seinem Style befragt und der Reporter wollte wissen, für welche Klamotten er sein Geld ausgibt. Justin sagte: »Eigentlich gebe ich gar nicht viel Geld für Klamotten aus ... aber ich mag zum Beispiel die Marke G-Star. Ich kaufe gern Schuhe und trage oft Supers. Ich trage auch viele Kapuzenpullis und ich mag die Mode von Alexander McQueen. Ich finde, er ist sehr einfallsreich und macht beeindruckende Sachen.«

Justin besitzt definitiv mehr Schuhe als ein durchschnittlicher Teenager. Unter anderem hat er viele verschiedenfarbige Sneakers. Er mag es, mit seinem Schuhwerk ein Statement abzugeben.

Ryan ist auch Justins sogenannter »Swagger Coach« – er zeigt dem Jungen, wie man sich als Star in der Öffentlichkeit zu präsentieren hat. Justins Fans wussten nicht, was ein Swagger Coach macht, deshalb erklärte der junge Star gegenüber *Macleans.ca*: »Ei-

gentlich ist es ziemlich einfach ... er coacht mich, er hilft mir, eine coole Haltung zu bewahren.« Für Justin geht es darum, in Sachen Mode und Bewegung Selbstbewusstsein auszustrahlen.

Wenn Fotoshootings für Zeitschriften anstehen, kommt es schon mal vor, dass Stylisten vor Ort schreckliche Keidungsstücke für Justin aussuchen. Oft hat er dann nicht die Möglichkeit, auf Ryans Rat zurückzugreifen oder sich mit dessen Hilfe sein eigenes Outfit zusammenzustellen. Normalerweie ist der junge Star aber sehr offen und probiert gern neue Dinge aus, aber mitunter muss er auch mal Nein sagen. Der Zeitschrift *Top of the Pops* erzählte er: »Ich versuche, nicht unhöflich zu sein, aber oftmals wird man zu sehr bedrängt. Letztens bei einem Fotoshooting sagten mir die Leute ständig: ›Zieh das an, das sieht echt cool aus‹, aber ich hielt dagegen: ›Das gefällt mir nicht, ich möchte das nicht tragen.‹ Ich bin ich, ich trage am liebsten Kapuzenpullis, ganz easy.«

STEHT FÜR

TALENTWETTBEWERB

Mit zwölf nahm Justin in seiner Heimatstadt an dem Talentwettbewerb *Stratford Star* teil. Dem Sieger winkten als Preis ein Mikrofon und eine Session in einem Aufnahmestudio. Für Justin war es eigentlich nur wichtig, sich einmal vor Publikum auszuprobieren, und wenn er gewonnen hätte, wäre der Preis nur ein Bonus gewesen. Für ihn stand der Spaß im Vordergrund. Das Startgeld betrug zwei Dollar – und heute ist er froh, dieses Geld investiert zu haben.

Der Wettbewerb erstreckte sich über vier Wochen und wurde im Kiwanis Community Centre ausgetragen.

In der ersten Runde sang Justin *3 AM* von der Band Matchbox 20. Er beeindruckte die Jury und das Publikum und schaffte es in die nächste Runde. Dafür wählte er Alicia Keys' Hit *Fallin'* aus. Damit versetzte er das Publikum noch mehr in Staunen, was ihn wiederum eine Runde weiter brachte. Als Nächstes sang er *Respect* von Aretha Franklin und seine Performance reichte, um ins Finale einzuziehen.

Bei seiner Darbietung von *Respect* präsentierte sich Justin völlig selbstbewusst. Er tanzte über die Bühne, rief immer wieder »Come on!« zwischen den Textzeilen und imitierte ein Saxofonsolo. Der einzige Patzer, den er sich erlaubte, passierte, als er sein Mikro fallen ließ – aber auch da verhielt er sich wie ein Profi, hob das Mikro wieder auf und machte einfach weiter.

Im Finale musste Justin zweimal antreten. Er entschied sich für die Songs *So Sick* von Ne-Yo und *Basketball* von Lil' Bow Wow. Mit dieser Auswahl konnte Justin immer wieder verschiedene Facetten seiner Stimme zeigen. Das Publikum und die Juroren waren begeistert und Justin hatte es unter die besten drei geschafft!

Er war viel jünger als alle anderen Teilnehmer und hatte zuvor noch nie vor Publikum performt, deshalb war seine Leistung schon beeindruckend. Als der Gewinner verkündet und Justins Name nicht genannt wurde, war es für den ehrgeizigen Jungen doch sehr enttäuschend. Aber er ließ sich nichts anmerken und gratulierte der Gewinnerin Kristen Hawley, wie es sich gehörte. Für Justin war es ein harter Schlag ... aber zum Glück bedeutete es nicht das Ende. Seine Mom wollte Familienmitgliedern und Freunden, die weiter weg wohnten, zeigen, wie toll Justin gesungen hatte. Deshalb postete sie die Clips von *Stratford Star* auf YouTube.

Eine Zeit lang war Justin davon ausgegangen, dass er an jenem Tag den zweiten Platz erreicht hatte, aber in Wirklichkeit war er nur Dritter geworden. Die Zweit- und Drittplatzierten wurden damals nicht öffentlich genannt, aber die Frau, die für die Stimmauszählung für *Stratford Star* zuständig gewesen war, äußerte sich gegenüber der Presse, als Justin bereits berühmt war.

Mimi Price, die einen großen Teil der Organisation des Events übernommen hatte, sagte der Zeitung *The Star*: »Wir wussten, dass wir etwas ganz Besonderes gesehen hatten, aber wir dachten: ›Gebt ihm noch ein paar Jahre mit Gesangsunterricht, dann hat er das Zeug zum großen Star.‹ Er hat die Herausforderung definitiv angenommen. Er hatte Charisma – aber er war gänzlich unerfahren.«

Justin nimmt es der Jury nicht übel, dass man ihn damals nicht gewinnen ließ, und mittlerweile hat er das Community Centre auch schon wieder besucht. Mimi ist es nicht verborgen geblieben, wie krass sich Justins Leben seitdem verändert hat, aber für sie wird er immer der talentierte Junge aus dem Wettbewerb bleiben. Sie sagte: »Als er um Weihnachten 2009 herum bei uns vorbeischaute, hielt er ein Blackberry in der einen und eine Kreditkarte in der anderen Hand. Er wollte seine vier Dollar Tagesgebühr für das Community Centre bezahlen. Ich sagte: ›Ist schon okay, Justin, wir übernehmen das für dich. Aber warum eine Kreditkarte?‹ Er sagte: ›Ich bin auf Reisen, da habe ich nie Geld bei mir.‹«

TANZEN

Justin ist nicht nur ein großartiger Sänger, sondern auch ein talentierter Tänzer. Seine Choreografin heißt Jamaica Craft. Um sich für seine *My World Tour* vorzubereiten, übte er jeden Tag stundenlang seine Dancemoves, damit er sicher sein konnte, dass all seine Tanzschritte perfekt gerieten. Der junge Star wollte weder Jamaica noch seine Fans enttäuschen.

Jamaica gehört zu den besten Choreografen der Welt. 2009 wurde sie für ihre Arbeit an Justin Timberlakes Clip *Love Sex Magic* für einen MTV Music Video Award nominiert. Auch 2007 war sie für diesen Preis nominiert worden, damals für das Video *Like a Boy* von Ciara. Jamaica war auch für die Choreografie für den Clip zu Justins Song *Somebody to Love* verantwortlich – und es wäre sicherlich nur verdient, wenn sie für ihre Arbeit mit Justin auch einen Preis gewinnen würde.

Für seine Tournee musste Justin lernen, in der Luft zu tanzen. Dabei trug er einen Sicherheitsgurt, der allerdings kaum sichtbar

war, und so sah es für die Zuschauer so aus, als würde Justin in der Luft schweben. Wie hoch oben er bei dieser Tanzeinlage auch war – der junge Sänger musste stets cool bleiben.

Für Fans, die so wie Justin tanzen wollen, gibt es eine Reihe guter Clips auf YouTube. Natürlich muss man sehr viel üben, wenn es wenigstens halb so gut aussehen soll wie bei Justin!

In Fernsehinterviews führt Justin gern mal eine Tanzeinlage namens »The Dougie« vor – den Dougie tanzt man, wenn man richtig gut drauf ist. Dabei muss man erst den linken Arm seitlich an den Kopf legen, dann den rechten Arm, wobei die Hände zur Faust geballt sind. Dann bewegt man den Kopf zu jeder Seite und hebt die Arme ein wenig an (so als würde man Hanteln stemmen). Die Knie müssen zum Beat der Musik ein wenig gebeugt werden. Justin tanzt den Dougie sehr gern, er hat ihn auch schon auf der Bühne mit Willow Smith vorgeführt.

Ein weiterer Favorit von ihm ist der »Cat Daddy«. Dafür muss man seinen linken Arm auf die rechte Körperseite platzieren und dann den rechten Arm auf die linke Seite. Dann macht man, was Justin einen »Rollstuhl« nennt: Man bewegt seine Arme in einer Drehbewegung dreimal den Körper hinunter bis auf den Boden. Wer diesen Move lernen möchte, sollte sich am besten den Videoclip von Justin bei der *Ellen DeGeneres Show* ansehen, wo er diesen Tanzschritt vorführt.

Ganz tapfer: Justin im »Son Of A Gun«-Tattooshop in Toronto, wo er sein erstes Tattoo gestochen bekommt.

Tattoo

Als im Mai 2010 berichtet wurde, dass Justin sich ein Tattoo hatte stechen lassen, waren viele seiner Fans schockiert. Er war noch so jung! Und außerdem hatte er niemandem etwas davon erzählt! Das Tattoo hatte er schon seit zwei Monaten, als Paparazzi ihn mit freiem Oberkörper an einem Strand in Autralien fotografierten. Es ist sehr klein und ziert seine Hüfte.

Als er es im Son Of A Gun Tattoo and Barber Shop in Toronto stechen ließ, wurde er von seinem Vater begleitet. Der Besitzer des Ladens, Brian Byrne, ist ein alter Freund von Jeremy Bieber. Gegenüber MTV sagte Byrne: »Das Tattoo bekam Justin zum 16. Geburtstag ... Ich schätze, auch sein Vater hat dieses Motiv sowie einer von Justins Onkeln. Es ist die Möwe Jonathan aus dem gleichnamigen Roman.«

Justin durfte das Tattoo nur bekommen, weil sein Dad ihn begleitete. Bis zum 18. Lebensjahr ist es nur in Begleitung eines Elternteils erlaubt, sich tätowieren zu lassen, und Justin war erst 16.

Bevor die Geschichte von der Presse aufgedeckt wurde, verriet Brian kein Wort von dem Tattoo, weil er Justins Privatsphäre respektierte. Ob Justin sich noch weitere Tattoos stechen lassen will, ist nicht bekannt. Sein Vater ist stolzer Besitzer von fünf Tattoos – auf seinem Arm, seiner Brust und Hüfte sowie auf seinem Bauch.

Wer Justins Tattoo noch nicht gesehen hat, braucht bei Google nur »Justin Bieber Tattoo« einzugeben. Es bleibt abzuwarten, ob sein kleiner Bruder Jaxon sich dasselbe Tattoo stechen lässt, wenn er 16 wird ...

TOURNEEN

Erste Tourerfahrungen sammelte Justin bereits Ende 2009. Die kanadische Modehauskette Urban Behavior hatte ihn gefragt, ob er an einer Minitour mit Auftritten in einigen Filialen interessiert sei, und Justin nutzte die Chance. Die Tour sollte am 1. November in einem Shop in Vancouver beginnen und dann in Edmonton, Montreal, London (die kanadische Stadt) und Toronto Halt machen. An jedem dieser Orte sollte Justin eigentlich T-Shirts signieren, für Fotos posieren und mit den Fans chatten.

Aber leider musste das erste Konzert im Urban Behavior Store in Vancouver kurzfristig abgesagt werden, weil Justin krank wurde. Den Fans, die wegen Justin gekommen waren, gewährten die Angestellten des Ladens einen besonderen Rabatt auf die Klamotten und baten sie, eine Genesungskarte für Justin zu unterschreiben. Zum Glück mussten keine weiteren Auftritte abgesagt werden und so strömten zahlreiche Fans in die Shops, nur um ihn zu sehen. Über Twitter bedankte er sich bei seinen Fans und gab zu, sehr überrascht gewesen zu sein, wie viele Leute nur wegen ihm gekommen waren.

Der Höhepunkt dieser Minitour dürfte wohl der Halt in Toronto gewesen sein. Zwar war es das Ende der Tour – was Justin gar nicht gefiel –, aber immerhin gab es abends noch ein zusätzliches, kleines Clubkonzert im Kool Haus als cooles Geschenk für die Fans. Sie riefen: »Wir lieben dich, Justin!«, während der Sänger auf der Bühne seine heiße Show abzog.

Er gab nicht nur schnell ein paar Songs zum Besten, sondern warf sich bei diesem Auftritt voll ins Zeug: Er sang *Bigger*, *One Less Lonely Girl*, eine Acoustic-Version von *Favourite Girl* und beendete den Auftritt mit Chris Browns Song *With You*. Den anwesenden Fans sagte er: »Die Show war wie eine verrückte Achterbahnfahrt ... dank einem Publikum wie euch!«

Justin mochte diese Minitour und war auf den Geschmack gekommen. Nun wollte er so schnell wie möglich eine richtige Tournee starten. Er fand es klasse, seine Fans zu treffen und Autogramme zu geben, aber er wollte auch vor großem Publikum auftreten. Als die *My World Tour* auf die Beine gestellt wurde, war er völlig aus dem Häuschen. Sie begann mit Konzerten in 85 Städten der USA und Kanada ... das erste fand am 23. Juni 2010 in Hartford, Connecticut, statt.

Ein paar Tage vor der ersten Show verließ Justin Stratford, um sich vorzubereiten und für die Konzerte zu proben. Für jeden Performer ist die Woche vor Tourbeginn sehr hart, da man so schnell wie möglich auf die Bühne will. Justin wusste, dass seine Familie und Freunde am ersten Abend im Publikum sein würden, deshalb musste er bei dem Auftritt alles geben.

Am 21. Juni schrieb er auf Twitter: »Vielen Dank, Kanada!! Bin traurig, dass ich euch verlassen muss, aber jetzt geht die Tour los und Proben stehen an ... Mein Tourbus ist megacool!! Eine Party auf vier Rädern!«

Auf dieser Tour gab es viele Überraschungsgäste. Dazu gehörten Miley Cyrus, Usher, Akon, Bow Wow, Boyz II Men und Jaden Smith. Justin liebte die begeisterten Reaktionen seiner Fans, wenn einer der Gaststars die Bühne betrat.

Für 2011 waren keine Auftritte in den USA oder in Kanada geplant. Stattdessen machte Justins Tournee halt in Europa, Asien und Australien. Bevor die Tour Anfang März mit Konzerten in Großbritannien und Irland fortgesetzt wurde, gab es zunächst zwei Monate Pause. Auf Irland folgten Auftritte in Deutschland, den Niederlanden, Frankreich,

Belgien, Dänemark, Spanien, der Schweiz, Italien, Israel und Indonesien, bevor es im April nach Australien ging. Im Mai gab Justin einige Konzerte in Asien und am 21. Mai endete die Tour in Brasilien mit dem einzigen Auftritt in Südamerika.

2010 wurde Justin auf der Tour von seiner Familie begleitet – seine Eltern und Großeltern wollten hautnah miterleben, wie der junge Star auf der Bühne den bisherigen Höhepunkt seines Lebens genoss. Sogar sein Hund war eine Zeit lang dabei. Bei den Konzerten 2011 war nur noch Pattie ständig anwesend, der Rest der Familie konnte nicht mehr jedes Konzert wahrnehmen, da die meisten Auftritte zu weit weg von Stratford stattfanden.

Im Vorfeld der Tour musste Justin hartes Fitnesstraining über sich ergehen lassen, um sicherzustellen, dass er in der Lage war, Abend für Abend 75 Minuten lang eine perfekte Show abzuliefern. Um die Strapazen durchzuhalten, musste er sich einiges an Muskeln antrainieren. Am Ende der *My World Tour* war Justin über ein Jahr unterwegs gewesen.

Er hatte sich so sehr an den Tagesablauf und das Training gewöhnt, dass es ihm hinterher sicherlich merkwürdig vorkam, wieder zum normalen Tagesgeschehen überzugehen. Das letzte Konzert der Tour war vermutlich sehr traurig für Justin, da er sich auch von einigen seiner Crewmitglieder verabschieden musste – für ihn ist diese Crew zu einer großen Familie geworden. Aber die meisten von ihnen wird er wiedersehen, wenn er seine zweite große Tournee beginnt – hierfür gibt es allerdings noch keine konkreten Pläne. Aber da die *My World Tour* so erfolgreich war, ist damit zu rechnen, dass Justin schon 2012 wieder rund um die Welt reisen wird.

Wenn Justin auch innerlich wohl sehr nervös war, sah man ihm aber nichts davon an, als er seine größten Hits auf der Bühne zum Besten gab und seinen Fans eine unglaubliche Show präsentierte.

Nach dem Konzert meldete er sich über Twitter und schrieb: »Heute Abend war irgendwie ... na ja, ich hatte ein wenig Schiss. Wollte niemanden enttäuschen, aber die Energie und die Fans waren so unglaublich.

er noch eine Coverversion von Michael Jacksons *Wanna Be Starting Something*. Er hat alle seine Hits gespielt, was echt toll war. Beim letzten Song *Baby* rieselte Konfetti von der Decke! Ich muss sagen, das war das beste Konzert, auf dem ich je war!«

Auch wenn es in der Presse nicht nur positive Kritiken zu Justins Show gegeben hatte, waren die meisten Journalisten der Meinung, dass seine Fans bei der Show vollkommen auf ihre Kosten kommen würden.

Kann es kaum erwarten, wieder auf der Bühne zu stehen!«

Auch die Fans waren überglücklich. Sie hinterließen auf verschiedenen Websites und Blogs durchweg positives Feedback zu Justins Show.

Ein Fan, der sich JBieberLover nennt, hinterließ auf der Seite des amerikanischen Ticketanbieters *ticketmaster.com* folgende Nachricht: »Das Justin-Bieber-Konzert war einmalig! Es war mein erstes Konzert mit ihm und ich denke, wenn ich zu einem weiteren Konzert gehen würde, wären meine Erwartungen sehr hoch, weil der Auftritt so gut war! Natürlich war Justin fantastisch, aber auch die Show war genial! Die Laser-Effekte und die schwebenden Objekte, in denen Justin saß, waren echt cool. Die Menge ist voll drauf abgegangen! Ich fand die Show echt klasse und hoffe, dass er noch mal in meine Stadt kommt! ... Der beste Moment für mich war, als Justin in dem schwebenden Herz saß und Akustikversionen von *Never Let You Go* und *Favorite Girl* spielte.«

Ein Fan namens OliviaLol war ähnlich begeistert und schrieb: »Das beste Konzert aller Zeiten! Justin Bieber ist ein toller Sänger ... Jasmine V. war als Support Act okay. Aber Sean Kingston hat mich und das ganze Publikum echt vom Hocker gerissen! Justins erster Song, *Love Me*, war echt genial! Während des Konzerts zeigte Justin einen Trailer für seinen neuen Film *Never Say Never* und er stellte auch seine Band vor. Außerdem spielte

TOUR-FAKTEN

‣ Neun Lkws transportieren Justins Bühne und das Equipment von Stadt zu Stadt.
‣ Seine Crew ist so groß, dass elf Tourbusse gebraucht werden (Justins ist der schönste!).
‣ Jeden Abend fallen eine Million Konfettischnipsel von der Hallendecke.
‣ Hinter der Bühne chillt Justin gern mit seiner Xbox – am liebsten spielt er *Call of Duty: Modern Warfare*, *NBA2K10* und *Madden*.

Wenn Justin auf Tour ist, hat er eine Menge Spaß, aber manchmal auch Heimweh. Da es nicht viel freie Zeit gibt, kann er auch nicht so oft nach Hause fliegen. Deshalb bezahlt er seiner Familie und seinen Freunden auch schon mal den Flug zu einem seiner Konzerte.

Justins Dad vermisst seinen Sohn sehr, wenn dieser unterwegs ist. Aber Jeremy hat zwei kleine Kinder, auf die er aufpassen muss, deshalb kann er Justin nicht so oft auf Tour begleiten wie Pattie. Wenn es ihm möglich ist, fliegt er zu dem Ort, an dem Justins Tour gerade haltmacht. Und wenn die Tour zu Ende ist, wird Justin genügend Zeit haben, um seinen Dad sehr oft zu besuchen.

TWITTER

Wenn es Twitter nicht gäbe, hätte Justin nicht so eine gute Beziehung zu seinen Fans aufbauen können. Er liebt es, ihnen Nachrichten zu senden und zu erfahren, was sie ihm zu sagen haben. Justin ist wohl der vorbildlichste Promi auf Twitter, da kein anderer so sehr auf die Nachrichten der Fans eingeht. Im Januar 2011 folgte Justin 102.531 Twitter-Usern!

Forbes.com bezeichnete Justin als den einflussreichsten Twitter-Promi des Jahres 2011 auf einer Liste mit Prominenten und deren »Social Media«-Einfluss. Dabei wurde gemessen, wie viele Follower ein Promi hat und wie viele Leute auf einen Tweet geantwortet oder ihn weiterverlinkt hatten – also die Interaktion zwischen dem Promi und seinen Fans. Lady Gaga mag vielleicht mehr Follower als Justin haben, aber ihr Score war nicht so hoch wie Justins. Sie kam mit 89,6 Punkten nur auf Platz sieben.

Je höher die Punktzahl auf einer Skala von 1 bis 100 ist, umso einflussreicher der Promi – Justin erreichte den maximalen Wert von 100, gefolgt von Paulo Coelho, dem Autor des Buches *Der Alchimist*, mit 96 Punkten. Nick Jonas schaffte es auf Platz drei mit 92 Punkten, danach folgte Kanye West mit 90,9 Punkten.

Justin hat zwar Millionen von Fans, aber für ihn ist das nicht selbstverständlich. Sie sind ihm alle wichtig und er würde jedem einzelnen danken, wenn er es könnte. Als er am 9. November 2010 erfuhr, dass er sechs Millionen Follower auf Twitter hatte, war er absolut überwältigt. Er schrieb: »Sechs Millionen der besten Fans der Welt auf Twitter! Vielen Dank!! Das ist Wahnsinn ... Meine Heimatstadt hat insgesamt nur 30.000 Einwohner!! Hammer!«

Weiter schrieb er: »Lasst mich noch mal zusammenfassen: Dies geht an alle Kids da draußen mit einem Traum, an jeden, der gesagt bekommen hat, dass er oder sie ein Niemand ist und bleiben wird – an alle, die von etwas Größerem träumen: Ich komme aus einer Kleinstadt, von der viele noch nie etwas gehört haben ... Als ich zur Welt kam, waren meine Eltern noch Teenager. Meine Mom und ich lebten in einem kleinen Apartment. Keiner aus meiner Familie hatte jemals für länger die Stadt oder die Region verlassen und auch ich habe nie daran gedacht, dass es möglich wäre, von dort wegzukommen. Aber dann habt ihr mich im Internet gefunden. Ihr habt mein Leben verändert und mir Möglichkeiten geschaffen, von denen ich nie geglaubt hätte, dass es sie gibt. Ihr habt mir beigebracht, im großen Stil zu träumen und niemals nie zu sagen. Vielen Dank dafür.«

Die Fans fühlten sich durch diese Tweets inspiriert und Tausende antworteten darauf. Im August 2011 hatte Justin schon über elf Millionen Follower – so beliebt, wie er ist, wird er am Ende des Jahres 2011 sicherlich schon über zwölf Millionen haben.

Manche Leute behaupten, dass Justin ständig drei Prozent der Twitter-Server belegt, allerdings wurde dies von Twitter nie bestätigt. Die Gerüchte waren entstanden, als ein Webdesigner namens Dustin Curtis schrieb: »Justin Bieber belegt ständig drei Prozent unserer Infrastruktur. Berge von Servern dienen nur ihm. – Dies schreibt jemand, der bei Twitter arbeitet.«

Ein Sprecher des Social-Media-Netzwerks sagte gegenüber *Mashable*: »Wir geben Daten wie diese niemals an die Öffentlichkeit weiter, aber alles, was mit Justin Bieber zu tun hat, ist zur Zeit sehr angesagt auf Twitter.«

Der Redakteur von *Mashable* hielt es für möglich, dass Dustin Curtis mit seiner Behauptung recht haben könnte. Er schrieb: »Jedes Mal, wenn Bieber auf Twitter etwas schreibt, muss seine Nachricht an über fünf Millionen Leute gesendet werden, die dann auch noch darauf antworten. Angeblich bekommt sein Account, kurz nachdem Justin etwas geschrieben hat, mehr als sechzig

@-Antworten pro Sekunde. Eigentlich ist Twitter dafür nicht ausgelegt.«

Wenn Justin tatsächlich drei Prozent der Twitter-Server belegt, ist es kein Wunder, dass beispielsweise kurz nach seinem Tweet, dass er die MTV-Serie *The Hard Times of RJ Berger* lustig finde, die Einschaltquoten nach oben gingen. Angeblich hatte die nächste Folge der Serie neun Prozent mehr Zuschauer und in der folgenden Woche waren es bereits 14 Prozent. Als daraufhin eine zweite Staffel angekündigt wurde, dachten viele, dass Justin dafür gesorgt hätte.

Man könnte annehmen, dass Justin großen Einfluss auf seine Fans hat – aber die Realität ist so, dass seine Fans zwar seinen Empfehlungen folgen, aber wenn ihnen die Serie nicht gefällt, schalten sie den Fernseher trotzdem aus. Außerdem spricht Justin so viele verschiedene Leute an, dass seine Follower auf Twitter unterschiedliche Dinge mögen oder nicht mögen und unterschiedliche Träume und Wünsche haben. Seine Fans können fünf oder 65 Jahre alt sein.

Bei einem Interview mit *Macleans.ca* sprach Justin über die Bedeutung des Social Networking. Er sagte: »[Twitter, Facebook oder YouTube] sind sehr gut für jeden neuen Künstler. Ich glaube, das Internet hilft sehr stark dabei, die Fans in das Projekt einzubeziehen. Sie können mit dir reden, dir schreiben, du selbst kannst mit ihnen interagieren, kannst sie auf dem Laufenden halten, kannst Videos bei YouTube posten, in denen du ihnen schreibst, wo du gerade bist. Dadurch bekommen sie das Gefühl, ein Teil der Sache zu sein. Das ist die heutige Zeit. Ich glaube, viele ältere Künstler hatten nicht die Chance, das Internet und Facebook zu nutzen. Das schafft eine tolle Möglichkeit, die Fans einzubeziehen.«

Ohne Twitter könnte Justin nie der Künstler sein, der er heute ist, und er kann sich seine Karriere nicht vorstellen, ohne seine Fans auf dem Laufenden halten zu können. Deshalb hat er auch immer Laptop und Han-

dy dabei, damit er rund um die Uhr Nachrichten und Fotos posten kann. Mancher Künstler hat seinen Twitter-Account gelöscht und damit seine Fans sehr enttäuscht und verletzt. Miley Cyrus, John Mayer und Demi Lovato sind nur drei von vielen Promis, die Millionen von Fans im Stich gelassen haben, als sie bei Twitter ausstiegen.

STEHT FÜR

URLAUB

Justins schönster Urlaub war seine erste größere Reise, bei der er nur mit seiner Mom unterwegs war. Als Straßenmusikant in Stratford hatte er so viel Geld zusammengespielt, dass er seine Mutter nach Disney World in Florida einladen konnte. Damals war er gerade von Scooter Braun unter Vertrag genommen worden, daher ahnten Justin und seine Mom, dass die Reise etwas ganz Besonderes war, weil bald einiges auf sie zukommen würde.

Für Justin ist es zwar toll, auf der ganzen Welt Konzerte zu geben, aber manchmal braucht auch er eine Pause. Er hat nicht viel Zeit für Urlaub, aber wenn, dann verschlägt es ihn meistens zurück in seine alte Heimat Kanada. Dort besucht er seine Halbgeschwister oder macht irgendwo eine kurze Erholungspause. Justin steht auf Strandurlaub und schwimmt gern im Meer.

Während seiner Tour hat der junge Star manchmal die Gelegenheit, ein paar Tage länger in einer Stadt oder einem Land zu bleiben und sich die Gegend anzusehen. So zum Beispiel im Oktober 2010 nach einem Konzert auf Hawaii, um auf der Insel ein wenig zu chillen. Damals postete er auf Twitter ein Foto von einem Kuchen, den er geschenkt bekommen hatte, und schrieb dazu: »Habe einen krassen Tag mit der Crew auf einem Boot verbracht. Jack Johnson Junior hat Musik gemacht, wir hatten viel Sonne, sahen ein paar Schildkröten und Delfine. Ein fantastischer Tag!«

Auf diesem Trip wurde Justin von Jaden Smith und Jasmine Villegas begleitet. Damals vermutete man, dass Justin und Jasmine ein Paar seien. Sie war das heiße Mädchen aus dem *Baby*-Video und Justin und sie hatten sich ein paar Mal verabredet. Jaden und Jasmine waren nach Hawaii gekommen, um ein bisschen mit Justin abzuhängen. Die drei machten eine Bootstour mit einem Katamaran und lagen am Strand in der Sonne. Abends bei seinem Konzert holte Justin Jaden auf die Bühne und die beiden sangen ihren Hit *Never Say Never* für das begeisterte hawaiianische Publikum.

Natürlich vermisst Justin seine Fans, wenn er im Urlaub ist – auch wenn er sich gut amüsiert. Auf Twitter schrieb er: »Tolles Konzert gestern Abend auf Hawaii und toller Urlaub hier. Jaden, Jasmine und ich hatten viel Spaß. Danke! Kann es kaum erwarten zurückzukommen!!«

Am liebsten macht Justin Urlaub in den Tropen, vor allem auf den Bahamas. Er steht nicht auf ruhige, chillige Orte, sondern auf Action und Spaß. Er will immer neue Dinge ausprobieren, Sport am Strand machen oder mit Delfinen schwimmen.

In einem Interview verriet der junge Sänger, auf welche Dinge er im Urlaub nicht verzichten will: »Mein iPod muss mit und mein Laptop auch, weil ich darauf ständig Musik mache. Außerdem kann ich so mit meinen Freunden in Kontakt bleiben.« Sein Handy braucht er, um immer erreichbar zu sein.

Justins Lieblingsstädte (abgesehen von Atlanta und Stratford) sind Los Angeles, Sydney

und Tokio. Als er die japanische Hauptstadt im April 2010 besuchte, schrieb er auf Twitter: »Bin erst seit Kurzem hier, aber Tokio gehört jetzt schon zu meinen Lieblingsstädten. Faszinierende Dinge überall ... tolles Essen ... und beheizte Toilettensitze. ... Hatte gerade Sushi zum Abendessen. War sehr lecker, aber bei den meisten Dingen wusste ich nicht, was ich gegessen habe. Muss jetzt was gegen meinen Jetlag machen.«

Etwas später ergänzte er: »Werde jetzt einige Interviews hier in Japan geben ... Lerne gerade ein bisschen Japanisch ... おやすみなさい – Das bedeutet: ›Gute Nacht und süße Träume‹ ... :-) 私はあなたの電話番号を有してもいいか – Das bedeutet: ›Kann ich deine Telefonnummer haben?‹ Dieser Satz ist für meinen Aufenthalt in diesem Land sehr wichtig, haha. ... Es ist echt toll hier. Danke für eure Liebe. Ihr gebt mir die Möglichkeit, rund um die Welt zu reisen und meinen Traum zu leben.«

Wenn Justin darüber nachdenkt, wohin er als Nächstes reisen möchte, recherchiert er erst mal ein wenig, was es an dem Ort zu sehen gibt und welche Freizeitaktivitäten er zu bieten hat. Manche Orte mögen unglaublich schön sein, aber wenn dort nichts los ist, wird Justin wahrscheinlich auch nicht hinfahren. Auch wenn er im Urlaub ist, muss er immer etwas Trubel um sich herum haben. Irgendwann will er mal nach Brasilien fliegen, weil er nur Gutes darüber gehört hat. Seine brasilianischen Fans würden sich sicherlich ein Loch in den Bauch freuen: Über dreitausend haben bei einer Online-Petition auf Twitter unterschrieben, um Justin in ihr Land zu holen, und sie haben den Spruch »Bieber in Brazil« ihrem Profilfoto hinzugefügt.

Da in den nächsten Jahren für Touristen auch Flüge ins All immer wahrscheinlicher werden, wird Justin sich wahrscheinlich auch auf den Weg zu anderen Planeten machen. Virgin Galactic bietet bereits ein Pre-Booking für Tickets an, die zur Zeit pro Stück 20.000 Dollar kosten. Das ist zwar eine Menge Geld, aber Justin könnte es sich bestimmt leisten. Seine Fans würden es klasse finden, wenn er der erste Künstler wäre, der ein Konzert in einem Space Shuttle im Weltraum gibt.

USHER

Usher ist ein sehr erfolgreicher Sänger, Produzent und Geschäftsmann. Er hat über 45 Millionen Platten verkauft und wurde bereits mit fünf Grammys ausgezeichnet. Er ist Justins Mentor und auch sein bester Promi-Kumpel. Usher hat Justin bisher viel geholfen und wird auch in Zukunft immer für seinen »kleinen Bruder« da sein. Es macht ihn sehr glücklich zu erleben, dass sein Schützling zu einem so großen Star geworden ist.

Als Justins Mentor zeigte Usher dem aufstrebenden Jungstar, welche Richtung dieser

einschlagen sollte. Justin war ein absoluter Neuling in der Musikbranche und konnte die Ratschläge von Usher nur zu gut gebrauchen. Bei der *Today Show* zählte er auf, was Usher ihm eingetrichtert hatte: »›Bleibe bescheiden und bodenständig, denke immer daran, wo du herkommst und dass deine Familie das Allerwichtigste ist, vergiss das nie.‹«

Als Usher seine Karriere begonnen hatte, war er genauso alt wie Justin, hatte allerdings keinen vergleichbaren Erfolg. Erst nach seinem zweiten Album *My Way*, das 1997 erschienen war, bekam er die Aufmerksamkeit, die er verdiente. In einem Interview mit der *New York Times* bekundete Usher: »Ich kenne den Druck, den man in dieser Position verspürt ... Aber ich hatte die Chance, meinen Erfolg langsam aufzubauen, und bei Justin ist alles so schnell gegangen. Scooter, Ryan und ich greifen ihm abwechselnd unter die Arme.«

Im April 2010 sagte Usher gegenüber MTV: »Man hat noch nicht das Beste von Justin gesehen. Er ist ein Popwunder, wie die Beatles. Sie haben auch als pure Popkünstler angefangen, und man sehe sich nur an, was aus ihnen im Laufe der Jahre geworden ist. ... Justin erinnert mich an mich selbst in dem Alter, nur dass er ein viel besserer Musiker ist, als ich es war. Er hat sich das Klavier- und Gitarrespiel selbst beigebracht. Das konnte ich nicht, also hat er diesen Vorteil.«

Usher geht sogar so weit vorauszusagen, dass Justin seiner Meinung nach in seiner Karriere mehr erreichen wird als er selbst – und wenn jemand fünf Grammys toppen kann, dann ist es wohl Justin. Der junge Sänger wird womöglich ein ganzes Zimmer voller Grammys haben, wenn er dreißig ist. Usher ist absolut stolz auf seinen Schützling und lässt die Welt dies auch gern wissen. In einem Interview mit der *Los Angeles Times* sprach er darüber, was er an Justin so faszinierend findet: »Ich glaube, es waren vor allem seine stets charmante Art und der Siegeswille. Als ich ihn kennenlernte, hat mich seine Persönlichkeit überzeugt. Als er sang, erkannte ich, dass er sich nicht verstellte ... Seine Stimme passte zu der Art von Musik, mit der ich gern in Verbindung gebracht werden möchte. Und es war kein Trick – wir mussten ihm zwar beibringen, wie man tanzt und sich auf der Bühne bewegt, aber er hat eine sehr gute Stimme.«

Usher weiß, dass Justin erst am Anfang seiner Karriere steht und dass er ein noch größerer Weltstar werden wird. Er wird immer für Justin da sein und ihm helfen, so gut er kann. Justin ist einfach nur dankbar, dass Usher ihn unter seine Fittiche genommen hat, und weiß es absolut zu schätzen, dass er ihn jederzeit anrufen kann, wenn er nicht weiterweiß.

UNSCHULD

Justin möchte angeblich seine Unschuld so lange behalten, bis er verheiratet ist. Zwar spricht er über dieses Thema nicht öffentlich und trägt auch keinen Purity Ring (Reinheitsring) wie Miley Cyrus oder die Jonas Brothers, aber Pattie bestätigte in einem Interview, dass er ihr gesagt habe, bis zur Ehe enthaltsam sein zu wollen.

Laut MTV teilte Pattie mit: »Er hat gesagt, dass er gern rein bleiben und Frauen ehren und respektieren möchte. Ich hoffe, dass er sich daran halten wird.«

Justin ist sich sicher, dass er eines Tages die Richtige treffen wird. Seinen weiblichen Fans wird das wohl gar nicht gefallen, aber andererseits werden sie sich wohl auch für ihn freuen.

STEHT FÜR

VOCAL COACH

Justins Gesangslehrerin heißt Jan Smith – ihr Spitzname lautet Mama Jan. Sie ist eine der Besten ihrer Branche und hilft Justin stimmlich durch die Pubertät. Vor 15 Jahren hatte sie auch Usher betreut, als dieser ebenfalls mit dem Stimmbruch zu kämpfen hatte.

Jungen in Justins Alter haben oftmals starke Probleme mit ihrer Stimme, weil sie nicht wissen, wie diese letztendlich sein wird. Sie wissen zwar, dass sie tiefer wird – aber nicht, wie tief. Für Sänger ist es noch schwieriger, weil ihre Stimme ihr Kapital ist. Wenn sie nicht mehr singen können, bedeutet das das Ende ihrer Karriere.

Mama Jan muss Justin aber sehr gut darauf vorbereitet haben, denn der junge Sänger blieb ganz ruhig, als man ihn im Juli 2010 in einem Interview darauf ansprach. »Jeder Junge kommt in den Stimmbruch, die Pubertät ist doch was ganz Natürliches«, sagte er gegenüber der Zeitschrift *OK*. »Ich habe den besten Vocal Coach der Welt und wir arbeiten an meiner Stimme und tun, was getan werden muss. Nur weil man in die Pubertät kommt, muss man nicht gleich mit dem Singen aufhören.«

Nur wenige Monate zuvor hatte Justin zugegeben, dass er die hohen Töne in *Baby* nicht mehr treffen könne und dass der Song nun in einer anderen Tonlage gespielt werden muss. Die Fans stört das nicht – für sie klingt der Song immer gut, egal, in welcher Tonart Justin ihn singt. Jan hat Justin so viel beigebracht. Als Junge konnte er sich keinen Gesangsunterricht leisten, weshalb sie mit ihm bei null anfangen musste.

Jeder denkt, Singen wäre einfach, weil man dafür nur den Mund öffnen müsse, und dass es sich schon von allein gut anhören würde – aber so einfach ist es nicht. Sänger müssen ihre Stimme trainieren. Es kostet sie jeden Tag Stunden, um ihr »Instrument« zu stimmen. Justin ist zwar ein Naturtalent, aber um der Weltklassesänger zu werden, der er heute ist, brauchte er Jans Hilfe. Sie musste ihm viele Gesangsstunden geben, bevor er überhaupt einen Fuß ins Studio setzen, geschweige denn Songs aufnehmen konnte.

STEHT FÜR

WILLOW SMITH

Willow ist die Tochter von Schauspieler Will Smith und seiner Frau Jada Pinkett-Smith. Sie hat zwei ältere Brüder – Trey und Jaden. Jaden ist Justins Duettpartner bei dem Song *Never Say Never* – das Stück hat Justin für den Film *Karate Kid* aufgenommen, in dem Jaden die Hauptrolle spielt. Seit geraumer Zeit ist die ganze Familie Smith sehr gut mit Justin und seiner Mom befreundet.

Willow ist Schauspielerin und Sängerin. Ihre erste Single *Whip My Hair* war ein weltweiter Hit, sie hatte es bis auf Platz elf der amerikanischen und auf Platz zwei der britischen Charts geschafft. Justin war glücklich, dass Willow als Special Guest bei seinem Konzert im Staples Centre in Los Angeles auftrat.

Sie ist eine begnadete Tänzerin und stellte dies auch mit Justin zusammen eindrucksvoll unter Beweis, als die beiden während des Konzertes versuchten, dem Publikum den »Dougie« vorzuführen.

Justin freute sich riesig, als er erfuhr, dass Willow ihn 2011 auf seiner Tournee begleiten würde. Auch sie war überglücklich und schrieb auf Twitter: »Habe erfahren, dass mein großer Bruder Justin Bieber mich auf seine Europatour im März eingeladen hat ... bin voll aufgeregt! Vielleicht bringe ich Jaden mit, haha! Never say never!«

Justin antwortete darauf: »Willow, mach dich bereit ... Ich hab noch mehr Überraschungen für euch!«

Dass Willow und ihre Familie Justin auf der Tour begleiten, wird dem jungen Sänger wohl weniger Heimweh bescheren. Und Pattie wird sich über die Gesellschaft von Willows Mom Jada freuen – denn Justins Crew besteht größtenteils nur aus Männern!

WITZBOLD

Justin spielt gern für andere den Clown. Zu Schulzeiten hat er öfters Ärger bekommen, weil er seine Klassenkameraden zum Lachen gebracht und damit den Unterricht gestört hat. Er konnte aber nicht anders – er hat einfach gern Spaß. Selbst bei seinen Konzerten erzählt er dem Publikum vor einem Song manchmal einen Witz.

Als er für den 1. April 2010 von *Radio Disney* gefilmt wurde, wollte er sich einen kleinen Aprilscherz erlauben. Vor der Kamera sagte er, dass er gern einen Song seines ersten Albums singen wolle, stimmte aber stattdessen *Party in the USA* von Miley Cyrus an.

Er spielt anderen auch gern mal Streiche – mal erfolgreich, mal aber auch nicht. Irgendwann hatte er sich Kaugummi besorgt, das jedem, der es in den Mund steckt, einen leichten elektrischen Schlag verpasst. Nicht wenige seiner Freunde sind auf diesen Scherz reingefallen! Und während eines Interviews mit dem französischen Radiosender *NRJ* versuchte Justin, Usher eins auszuwischen, indem er ihn anrief und so tat, als hätte er sich seinen Knöchel gebrochen und sei auf dem Weg ins Krankenhaus. Aber Usher kennt Justin schon zu gut, als dass er auf diesen Schwindel reingefallen wäre – er wusste sofort, dass er bloß reingelegt werden sollte.

Vor seinem Auftritt auf der Maryland State Fair im September 2010 übertrieb Justin es ein wenig: Laut Berichten auf verschiedenen Websites hatten er und seine Crew eine Wasserballonschlacht gestartet, wobei zwei Beamte der US State Troopers getroffen wurden. Sie nahmen Justin allerdings nicht fest und zeigten ihn auch nicht an, weil sie ihn kannten.

Offensichtlich mag es der junge Sänger, mit Sachen um sich zu werfen. Als die Band The Stunners ihren letzten Auftritt im Vorprogramm von Justins *My World Tour* hatte, beschloss er, während ihres Auftritts die Bühne zu entern und die Musikerinnen mit Sachen zu bewerfen. Im Publikum brach ein lautes Kreischen aus, als die Bandmitglieder versuchten, sich zur Wehr zu setzen, und letztendlich jagten sie ihn quer über die Bühne.

Aber manchmal muss auch Justin einstecken: Während einer Performance von *One Less Lonely Girl* schickte die Crew einen Mann mit Papstkrone auf die Bühne, der sich als »One Less Lonely Girl« zu Justin setzte. Der Sänger versuchte daraufhin, einen echten Fan auf die Bühne zu holen, aber der Mann mit der Krone nahm ihn – nicht nur sprichwörtlich – auf den Arm! Später schrieb Justin auf Twitter: »Bitte lächeln! ... Tolles Ende des ersten Teils der Tour ... Alter, heute haben sie mich aber fett reingelegt. Muss die ganze Zeit darüber lachen. War aber ein echt guter Joke. Der Witzbold bekam eins ausgewischt. Hat jemand ein Video davon?«

Bei dem Auftritt auf der Maryland State Fair wurde Justin auch noch von seiner Crew mit Luftschlangenspray besprüht, nachdem er *Baby* performt hatte. Justin mag anderen gern Streiche spielen – aber er selbst muss auch einiges über sich ergehen lassen!

WOHLTÄTIGE ARBEIT

Justin ist überzeugt davon, dass es Gottes Wille ist, dass er seinen Reichtum für gute

Zwecke einsetzt. Deshalb unterstützt der junge Star so viele Wohltätigkeitsorganisationen, wie er nur kann. Sein Favorit ist *Pencils of Promise*, dessen Gründer auf deren Website erklärt: »*Pencils of Promise* ist mittlerweile eine globale Bewegung, bestehend aus leidenschaftlichen Individuen, die eine Welt mit besseren Lernmöglichkeiten für alle unterstützen wollen. Tausende Unterstützer haben uns bisher geholfen, durch kleine wie große Taten ...

Wir wollen mehr als nur vier Wände schaffen; die Schulen, die wir bauen, sollen Generationen von Schülern eine hochwertige Erziehung ermöglichen. Um erfolgreich zu sein, arbeiten wir uns von unten nach oben – wir finden und arbeiten mit Gemeinden zusammen, die nicht nur eine Schule benötigen, sondern die darin investieren, eine erfolgreiche Schule zu bekommen.«

Während seiner Tour durch die USA und Kanada sorgte Justin dafür, seinen Teil dazu beizutragen. Von jedem verkauften Konzertticket spendete er einen Dollar an *Pencils of Promise*.

Justin hat der Organisation aber nicht nur Geld überwiesen – er hat sogar höchstpersönlich geholfen. Für seine wohltätige Arbeit wurde er auch schon belohnt, und zwar im August 2010 mit einem World Leadership Award. Aber anstatt die Lorbeeren für sich einzuheimsen, holte der junge Star den Gründer von *Pencils of Promise* auf die Bühne, damit dieser mehr über seine Organisation berichten konnte. Auch wenn *Pencils of Promise* Justins wichtigstes Charity-Projekt ist, unterstützt er noch weitere Organisationen auf der ganzen Welt.

Zum Beispiel sammelte der Sänger mit einer speziellen eBay-Auktion Geld für die *Great Ormond Street Hospital Charity*, eine Organisation, die kranke Kinder und deren Eltern unterstützt. Justin spendete ein paar seiner Kleidungsstücke und Sneakers und die Fans boten teilweise unglaubliche Summen, um eines der begehrten Stücke zu ersteigern,

Für einen guten Zweck: Justin versteigerte seine Sneakers, wofür die Fans teilweise unglaubliche Summen boten.

die ihr Idol zuvor getragen hatte. Justin stattete dem Hospital auch einen Besuch ab und verbrachte Zeit mit den Kindern, was sicher nicht viele Popstars tun. Der Hauptpreis bei den eBay-Auktionen waren Tickets für eines seiner Konzerte und der Gewinner sollte die Chance eines Treffens mit Justin persönlich erhalten. Das Höchstgebot lag übrigens bei 3433,33 Britischen Pfund (etwa 4000 Euro) – ein schöner Batzen Geld für das Hospital!

Selbst dann, wenn er nicht mal persönlich etwas damit zu tun hat, tut Justin Gutes: Als der amerikanische Sänger John Mayer eine Videobotschaft veröffentlichte, in der er über die Gefahren von Malaria aufklärte, nannte er darin Justins Namen. »Etwa eine Million Menschen sterben jedes Jahr an Malaria und 85 Prozent davon sind jünger als Justin Bieber«, sagte Mayer in seiner Botschaft, woraufhin er sich direkt an

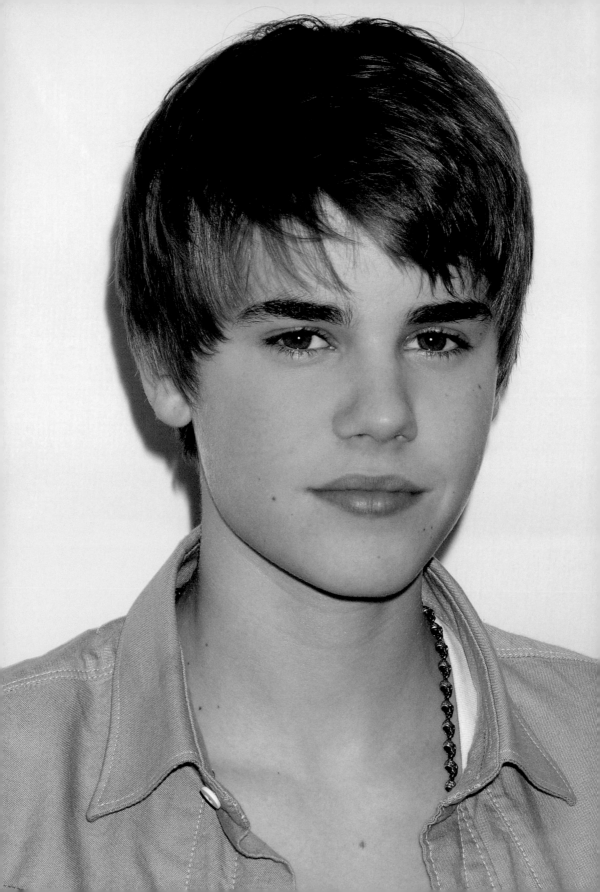

die potenziellen Spender wandte. »Mit Ihrer Spende können Sie helfen, Moskitonetze für zehn Dollar pro Stück zu kaufen, damit die Kinder Justin Biebers Alter erreichen. Danach widmen wir uns den Jugendlichen im Alter der Jonas Brothers und dann sind die *Twilight*-Kids dran. Aber wir müssen kleine Schritte machen. Lasst uns zuerst um die Bieber-Kids kümmern.«

Justin ist ein großartiges Vorbild für junge Menschen, da er zeigt, dass man nicht erwachsen sein muss, um anderen zu helfen. Er hat seine Fans aufgefordert, Organisationen wie *Pencils of Promise* zu unterstützen, weil er fest daran glaubt, dass jeder Einzelne etwas bewirken kann. Im Oktober 2010 nahm Justin an der Veranstaltung *Variety's 4th Annual Power Of Youth Event* teil, die in den Paramount Studios in Hollywood stattfand und bei der junge Künstler geehrt wurden, die sich für andere eingesetzt hatten. Einige Stars performten live auf der Bühne, andere vergnügten sich damit, Kürbisse für Halloween auszuhöhlen, und außerdem gab es viele Spiele und tolles Essen. Schauspieler Mark Wahlberg, der mit seinen Töchtern zu dem Event erschienen war, sagte gegenüber *Variety*: »Meine Mädels wollten unbedingt Justin Bieber treffen und sie haben es sogar geschafft, sich mit ihm fotografieren zu lassen. Außerdem wurde ihnen hier deutlich gemacht, was es bedeutet, etwas an die Gemeinschaft zurückzugeben.«

Justin nahm bei diesem Event einen Preis für seine wohltätige Arbeit entgegen. Außerdem beschloss er, den Organisationen, die an jenem Abend genannt wurden, ein besonderes Geschenk zu machen. Hinterher schrieb er auf Twitter: »Das Schönste war, dass ich die Organisationen, die bei diesem Event geehrt wurden, überraschen konnte. Meine Show morgen im Staples Center in L.A. ist zwar ausverkauft, aber wir haben 500 Tickets zurückgelegt und teilen sie unter den Preisträgern des Abends auf. Die Organisationen können die Tickets an hilfsbedürftige Kinder weitergeben und ihnen einen tollen Abend ermöglichen, den sie auch verdient haben!«

Das war wirklich großzügig von Justin. Schon fünfzig Tickets wären fantastisch gewesen, aber nein – er verschenkte gleich fünfhundert!

Und das war noch nicht alles. Im August 2010 war Justin Gast bei einer Veranstaltung für Ushers *New Look Foundation*. An jenem Abend erklärte er gegenüber MTV: »Mir ist es total wichtig, dass ich anderen Kids helfen kann. Ich bin selbst noch so jung, deshalb bedeutet es mir sehr viel.«

Justin gehörte auch zu den zahlreichen Stars, die einen Song für die Erdbebenopfer von Haiti aufgenommen haben. Als er von dem Ausmaß des Erdbebens am 12. Januar 2010 hörte, bei dem etwa 230.000 Menschen ums Leben gekommen waren, war er geschockt. Justin wollte den Verletzten und Obdachlosen helfen, deshalb tat er sich mit einigen kanadischen Künstlern wie K'Naan, Nelly Furtado und Avril Lavigne zusammen und nahm die Charity-Single *Wavin' Flag* auf. Besonders freute er sich darüber, dass die Single direkt auf Platz eins der kanadischen Charts einstieg.

Justin war einer der über achtzig Stars, die den Song *We Are the World For Haiti* aufnahmen. Dabei befand sich der junge Sänger in Gesellschaft hochkarätiger Musiker wie Pink, Usher, Kanye West und den Jonas Brothers. Während der Aufnahmesessions ließ Justin seine Fans wissen, was im Studio vor sich ging: »Ich singe grad *We Are the World* und neben mir steht Celine Dion!! Alle sind hier!! Und ich lerne sie alle kennen!! Das ist Wahnsinn! Okay, okay, ich muss mich wieder beruhigen.«

Da seine Karriere noch lange nicht zu Ende ist, wird Justin sicherlich weiterhin so viele wohltätige Organisationen unterstützen, wie er nur kann.

X STEHT FÜR

X FACTOR

Am 28. November 2010 trat Justin im britischen Fernsehen bei der Show *The X Factor* auf, wo er ein Medley aus *Somebody to Love* und *Baby* performte. Die erfolgreiche Castingshow war vom englischen Musik- und Filmproduzenten Simon Cowell ins Leben gerufen worden. 2010 startete *X Factor* auch im deutschen Fernsehen, mit der Sängerin Sarah Connor und dem Musiker Till Brönner als Jurymitglieder.

Justin trug bei seinem Auftritt im britischen Fernsehen eine schwarze Lederjacke mit einem nicht zu übersehenden Stratford-Aufnäher. Seiner Familie und seinen Freunden muss der auffällige Gruß an Justins Heimat sehr gefallen haben! Als er vom Moderator Dermot O'Leary gefragt wurde, ob er nervös gewesen sei, vor Jury-Boss Simon Cowell aufzutreten, antwortete Justin: »Nein, nicht wirklich, ich war ziemlich gelassen, ruhig und gefasst.«

Justin ist bei seinen Auftritten so gut wie nie nervös. Außerdem hatte er den Medienmogul Cowell bereits kennengelernt, als er bei der amerikanischen Castingshow *American Idol* aufgetreten war, wo Cowell ebenfalls in der Jury sitzt. Justin wusste also, dass er keinen Grund zur Nervosität hatte. Vielmehr war er daran interessiert, Jurymitglied Cheryl Cole kennenzulernen. Er sagte zu Dermot: »Ich würde gern Cheryl Cole Hallo sagen. – Hi,

Cheryl!« Er lächelte ihr zu und deutete mit einer Geste an, dass sie ihn mal für ein Date anrufen solle.

Simon Cowell mag Justin und wird ihn vielleicht als Jurymitglied in Betracht ziehen, wenn *The X Factor* auch in den USA startet – laut Cowell habe Justin Interesse daran gezeigt. Wann und ob Justin mal in der deutschen Ausgabe auftreten wird, ist ungewiss.

STEHT FÜR

YOUTUBE

Wenn Justins Mom nicht die Idee gehabt hätte, die Clips von seinen Auftritten für Freunde und Familienmitglieder auf YouTube zu posten, wäre Justin wohl nie entdeckt worden. Vielleicht hätte er irgendwann mal sein Glück bei *American Idol* versucht, aber dann hätte er wohl nicht die großartige Musik veröffentlicht, mit der er seine Fans seit 2009 verwöhnt.

Justins Username auf YouTube lautet »Kidrauhl«. Viele Fans fragen sich, warum er gerade diesen Namen gewählt hat. Die Antwort ist einfach: Sein Vater Jeremy nennt sich auf YouTube »Lordrauhl«.

Lord Rauhl ist eine Figur aus *Das Schwert der Wahrheit* von Terry Goodkind, einer elf Bände umfassenden Fantasy-Romanreihe. Offensichtlich ist Jeremy ein großer Fan dieser Bücher, weil er sich nicht nur auf YouTube, sondern auch bei vielen anderen

Internetportalen so nennt. Mit dem Namen Kidrauhl zollt Justin seinem Vater Tribut – es bedeutet so viel wie »Kleiner Rauhl«, also Jeremys Sohn.

Justins Fans sollten unbedingt mal seine oder Jeremys YouTube-Channels auschecken. Auf dem Lordrauhl-Kanal kann man Videos von Justin sehen, wie er mit seinem Dad Basketball spielt, sowie Clips von Jeremy beim Angeln oder von Justins kleinen Halbgeschwistern. Justins Fans sind sehr dankbar, dass Jeremy diese Privatvideos mit ihnen teilt.

Der Kidrauhl-Channel enthält sehr viele Videos von Justins Auftritten und Backstageszenen sowie persönliche Clips, in denen Justin zu seinen Fans spricht. Außerdem gibt es Videos mit ihm und Usher oder Sean Kingston ... Wer diese Filme noch nie gesehen hat, sollte es schnellstens nachholen!

Die meisten Fans habens sich aber auf Justins YouTube-Channel bereits umgesehen und sich die offiziellen Clips angeschaut. Außerdem gibt es auf YouTube zahlreiche Fanvideos sowie Interviews mit Justin aus aller Welt.

Justin muss sich sehr gefreut haben, als YouTube eine Liste der meist geklickten Musikvideos 2010 veröffentlichte. Der junge Sänger war gleich mit vier Songs in der Liste vertreten, *Baby* befand sich auf Platz eins mit unglaublichen 406 Millionen Views! Die Top Ten waren:

1. *Baby* von Justin Bieber, 406 Millionen Views
2. *Waka Waka* von Shakira, 254 Millionen Views
3. *Love the Way You Lie* von Eminem, 229 Millionen Views
4. *Not Afraid* von Eminem, 164 Millionen Views
5. *Rude Boy* von Rihanna, 118 Millionen Views
6. *Never Say Never* von Justin Bieber, 118 Millionen Views
7. *Never Let You Go* von Justin Bieber, 108 Millionen Views
8. *Alejandro* von Lady Gaga, 108 Millionen Views
9. *Somebody to Love* von Justin Bieber, 103 Millionen Views
10. *Telephone* von Lady Gaga, 95 Millionen Views

Justin wird natürlich weiterhin so beliebt bleiben und da wird es wohl niemanden verwundern, wenn er in den kommenden Jahren noch mehr Top-Ten-Platzierungen in der YouTube-Liste haben wird!

Trotz des Erfolgs bleibt der junge Kanadier bodenständig: »Ich bin dankbar und froh, dass ich machen kann, was ich liebe.«

STEHT FÜR

ZONE

....

Vor jedem Auftritt muss Justin sich in seine »Zone« zurückziehen. Er kann nicht einfach auf die Bühne rennen, sondern er muss erst mal in sich gehen und sich auf die Show vorbereiten. Manche Künstler setzen sich vor ihrem Auftritt gern hin und hören etwas Musik, andere pushen sich, indem sie herumlaufen. Beyoncé Knowles stellt sich sogar vor, auf der Bühne eine Person namens Sasha Fierce zu sein! Justin hingegen betet üblicherweise vor seinen Auftritten, gemeinsam mit seiner Crew und seiner Mom. Dabei konzentriert er sich voll und ganz auf Gott und geht dann los, um zu performen.

Eine weitere Zone, die hier genannt werden muss, ist die sogenannte *Justin Bieber*

Zone – die größte Bieber-Fanpage der Welt. Wer sie noch nicht kennt, sollte mal auf *www.justinbieberzone.com* stöbern. Hier gibt es die letzten Neuigkeiten, Fotos, Songtexte, Informationen zu Konzerttickets, Videos und Foren. Die Seite wird von den Fans Durian, Zuhri und Michelle betrieben und existiert seit dem 30. Oktober 2009.

Auch diese Seiten sind für jeden Fan sehr interessant:
Justin-Bieber.de und *Justinbiebermusic.com* (Justins offizielle Homepages)
J-Bieber.org
Justinbieberfan.org
Ultimatebieber.org
Justinbieber.bz

HELLO, THIS IS JUSTIN BIEBER

DAS GROSSE FANBUCH – DIE ERSTE DEUTSCHSPRACHIGE
BIOGRAFIE ÜBER DAS JUNGE AUSNAHMETALENT

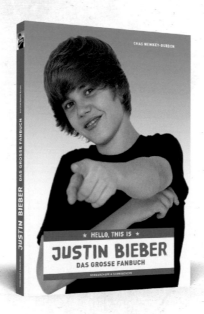

HELLO, THIS IS JUSTIN BIEBER
DAS GROSSE FANBUCH
Von Tori Kosara,
144 Seiten, etwa 100 Abbildungen
Quality Paperback, Fadenheftung, Kunstdruckpapier
ISBN 978-3-89602-574-6 | 14,95 €

Die erste deutschsprachige Biografie des jungen Ausnahmetalents Justin Bieber schildert den Werdegang des Youngsters – von seinen ersten öffentlichen Auftritten mit acht Jahren als Breakdancer vor dem Supermarkt über seinen Erfolg bei dem Talentwettbewerb Stratford Idol, wo er den zweiten Platz belegte, und das erste denkwürdige Treffen mit seinem Idol Usher bis hin zum internationalen Durchbruch. Das Buch gewährt auch einzigartige Einblicke in das Privatleben des sympathischen Teenie-Stars.

»Zum Schwämen schön!«   bangerang

»›Hello, This is Justin Bieber‹ zeigt zahlreiche Bilder und gibt Einblicke in das Leben des 17-Jährigen, der trotz seines Erfolges noch der nette Junge von nebenan geblieben ist.«
Thüringer Allgemeine Zeitung

GLEE

EIN HIGHSCHOOL-SHOWCHOR EROBERT DIE WELT – DAS INOFFIZIELLE
FANBUCH ZUR NEUEN ERFOLGSSERIE AUS DEN USA

GLEE – DAS GROSSE FANBUCH
DIE SERIE, DIE STARS, DIE SONGS
Von Erin Balser und Suzanne Gardner
Übersetzt von Madeleine Lampe
176 Seiten, Quality Paperback
ISBN 978-3-86265-046-0 | Preis 14,95 €

»›Glee – Das große Fanbuch‹ ist eine wahre Schatzkiste für alle Freunde dieser erfrischenden TV-Serie und sowohl informativ als auch sehr unterhaltsam geschrieben. Vor allem der Episodenguide lässt keine Wünsche offen und ist die perfekte Ergänzung zu Serie selbst.« musicheadquarter.de

»Für ›Glee‹-Fans sollte das Buch Bibel-Status haben. Die Liebe zum Detail und die Ausführlichkeit des Buches bringen die Qualität der Serie bestens zum Ausdruck. Man kann nur hoffen, dass die Autoren Fortsetzungen für die nächsten Staffeln schreiben werden.« myfanbase.de

Der Serienguide bietet viele Fotos und interessante Informationen. Die talentierten Darsteller werden alle ausführlich vorgestellt – die Fans werden begeistert sein.

UNSTERBLICH VERLIEBT

THE VAMPIRE DIARIES
DAS INOFFIZIELLE FANBUCH ZUR SERIE

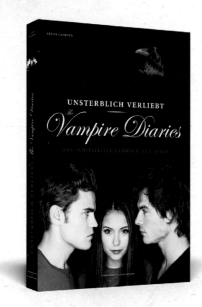

UNSTERBLICH VERLIEBT – THE VAMPIRE DIARIES
DAS INOFFIZIELLE FANBUCH ZUR SERIE
von Crissy Calhoun,
144 Seiten, ca. 100 farbige Abbildungen
Quality Paperback, Fadenheftung, Kunstdruckpapier
ISBN 978-3-89602-998-0 | 14,95 €

»Ein Muss für alle Fans der Serie.«
Heilbronner Stimme

»Crissy Calhoun hat ein Buch für alle Freunde der Vampir-Abenteuer geschrieben. In
›Unsterblich verliebt: The Vampire Diaries‹
erzählt sie die Entstehungsgeschichte der
Serie, stellt die Schauspieler vor und fasst
alle Folgen der ersten Staffel ausführlich zusammen. Fans werden sich über die schönen

Hochglanzbilder und die vielen Details über
die Dreharbeiten freuen.« tvdigital.de

»Ein Geschenk für die Fans.«
Oberösterreichische Nachrichten

»»Unsterblich verliebt: The Vampire Diaries‹
bietet allen Fans großen Lesespaß, um die
Zeit bis zur nächsten Episode zu überbrü-
cken.« myfanbase.de

BILDNACHWEIS

Coverfoto: L.Gallo/WENN.com (vorne), Adriana M. Barraza/WENN.com (hinten) | ©
splashnews.com: S. 2, 4, 6, 10, 11, 12, 20, 23, 27, 28, 37, 47, 50, 53 (links), 57, 60, 61, 62
(beide), 65, 68, 69, 70, 71, 72, 73, 79, 83, 88, 89, 90, 94, 92, 95, 96, 98, 99, 100, 101, 103,
104, 105, 107, 109 (beide), 111, 112, 115, 122 | Dominic Chan/WENN.com: S. 8, 17, 25, 67 |
Ivan Nikolov/WENN.com: S. 12 (links), 16 | WENN.com: S. 13 (beide), 19, 22, 33, 35, 38,
49, 55, 59, 63, 74, 75, 77, 80, 81, 97, 113, 114, 116, 118 (beide), 119, 120, 123 | Dan Jack-
man/WENN.com: S. 15, 26, 41 | Nikki Nelson/WENN.com: S. 31, 53 (rechts), 59 (links) |
Anthony Stanley/WENN: S. 42 | C.Smith/WENN.com: S. 45 | Adriana M. Barraza/WENN.
com: S. 64 | Judy Eddy/WENN.com: S. 85 | Jeff Daly/WENN.com: S. 87 | Chris Connor/
WENN.com: S. 110 | Michael Wright/WENN.com: S. 121 | Hintergrundbilder: fotolia.de,
www.shutterstock.com

JUSTIN BIEBER A – Z
Alles über deinen Superstar
Von Sarah Oliver

Genehmigte Lizenzausgabe © der deutschen Übersetzung:
Schwarzkopf & Schwarzkopf Verlag GmbH, Berlin 2011
ISBN 978-3-86265-087-3

Aus dem Englischen übersetzt von Thorsten Wortmann | Lektorat: Sabine Tuch | Satz
und Gestaltung der deutschen Ausgabe: Regina Urbauer | Erstmals veröffentlicht unter
dem Titel »JUSTIN BIEBER A-Z« in England von John Blake Publishing Ltd | Text Copy-
right © Sarah Oliver 2011 | »JUSTIN BIEBER A – Z – *Alles über deinen Superstar*« wurde
weder von Justin Bieber noch von seinem Management autorisiert oder unterstützt.

KATALOG
Wir senden Ihnen gern kostenlos unseren Katalog.
Schwarzkopf & Schwarzkopf Verlag GmbH
Kastanienallee 32, 10435 Berlin
Telefon: 030 – 44 33 63 00 | Fax: 030 – 44 33 63 044

INTERNET & E-MAIL
www.schwarzkopf-schwarzkopf.de
info@schwarzkopf-schwarzkopf.de